Göransson · Lindholm

# Nybörjarsvenska

## Nybörjarbok i svenska som främmande språk

Kursverksamhetens förlag · Lund

Teckningar av Sven Nordqvist

Fjärde upplagan
© 1981 Ulla Göransson, Hans Lindholm
och Kursverksamhetens förlag, Lund

Tryckt hos Kristianstads Boktryckeri AB, Kristianstad 1985

ISBN 91-7434-201-0

# Förord

**NYBÖRJARSVENSKA** är ett heltäckande läromedel för grundkurser i svenska som främmande språk. Det är avsett att användas såväl inom invandrarundervisningen som av andra kategorier av svenskstuderande utomlands eller för självstudier.

**Textboken** omfattar 75 avsnitt, som med ett omsorgsfullt utvalt, centralt ordförråd på olika språkliga nivåer söker spegla aktuellt svenskt samhällsliv med tonvikt på vardagssituationer. Vid sidan av typiska företeelser som Luciafirande och allemansrätten förekommer även vardagsnära situationer som "Vid kiosken" och "I affären". För att stimulera till diskussion tar texterna även upp ämnen som familjemedlemmarnas roller, vardagsekonomi, skilsmässor och invandrarpolitik. Textboken inleds av en presentation av bokens personer, som genom att de alla bor i samma hus på Storgatan ger eleven en sammanhållande referensram.

Tonvikt har lagts vid att genom korta dialoger och idiomatiska talspråkssituationer ge eleven kommunikativ kompetens. Översikten i slutet av textboken med rubriken "Så säger man för att . . ." har samma syfte. Läromedlet strävar nämligen efter att inom ramen för en grundkurs förena en strukturell språkbeskrivning med en repertoar av uttrycksmöjligheter för att tillgodose en nybörjares mest fundamentala språkliga behov. Textboken är rik på illustrationer, som kan användas som underlag för konversationer.

Det grammatiska stoffet förmedlas successivt, visualiserat i uppställningar och tabeller i grammatikrutor till de enskilda avsnitten och levandegjorda med illustrationer. En sammanfattande översikt av både form- och satslära i slutet av textboken är avsedd att fungera som ett grammatiskt uppslagsverk och som repetitionsunderlag inför eventuella prov. Här liksom i grammatikrutorna har ett minimum av gängse grammatisk "internationell" terminologi brukats för att ge grammatikorienterade elever ett stöd.

**NYBÖRJARSVENSKA** söker fylla ett sedan länge känt behov av en överskådlig bildordbok, som placerats i slutet av textboken. Den omfattar närmare tusentalet ord från centrala vardagsområden. Åtskilliga av dess ord förekommer givetvis även i texterna, och eleven erbjuds härigenom en möjlighet att ur två infallsvinklar tillägna sig ett praktiskt ordförråd.

**Övningsboken** inleds med fonetiska övningar, avsedda att redan från början vänja eleven vid svenska uttalsvanor och befästa känslan för det centrala i svenskt uttal, nämligen de prosodiska egenskaperna tryckaccent, satsrytm och kvantitet och — på fonemnivå — den därmed förbundna vokalkvaliteten.

Förutom mera traditionella övningar för att befästa och automatisera grammatiska strukturer har stor vikt lagts vid kreativa övningar. Dessa har illustrationer, hämtade från textboken så att eleven lätt känner igen sig. Ett antal bildserier i övningsbokens slut ger tillfällen till egen muntlig och skriftlig produktion.

I läromedlet **NYBÖRJARSVENSKA** ingår **kassettband** till textbokens avsnitt. Intalningarna till avsnitt 1—30 (motsvarande nivån Svenska 1) innehåller både en opauserad och en pauserad version. Även övningsbokens fonetiska avsnitt finns intalat på band för att bland annat underlätta självstudier.

Till **NYBÖRJARSVENSKA** hör även alfabetiskt uppställda **ordlistor** till de vanligaste språken. Eftersom de är gjorda i praktiskt fickformat och omfattar inemot 4 000 ord, kan de även tjäna som självständiga fickordböcker. För att underlätta de inledande studierna innehåller de även avsnittsvisa ordförteckningar till de första tio avsnitten.

Lund i september 1985

*Författarna*

# Innehåll

# Presentation
## av personerna i huset på Storgatan 12

 **Bo Lundin** är 23 år och ogift. Han är student.

 **Sven Berg** är 35 år och ogift. Han är trafikflygare (eller pilot).

 **Ingrid Ek** är 27 år och frånskild. Hon är sjuksköterska.

**Mats Ek** är 6 år och är på daghem, när mamma arbetar.

 **Lena Nyman** är 29 år och ogift. Hon är flygvärdinna.

 **Svea Lindberg** är 59 år och änka. Hon är städerska (eller lokalvårdare).

**Torsten Falk** är 70 år och gift. Han är pensionerad överste.

**Greta Falk** är 69 år. Hon är också pensionerad.

 **Kristina Sandberg** är 25 år och ogift. Hon är kontorist.

 **Monika Holm** är 24 år och ogift. Hon är sekreterare.

**Göran Nilsson** är 43 år och gift. Han är murare.

**Ulla Nilsson** är 38 år och gift med Göran. Hon är kassörska.

 **Åke Hellström** är 32 år och gift. Han är ingenjör.

**Eva Hellström**, flicknamn: Bengtsson, är 30 år och gift. Hon är lärare.

 **Berit Nilsson** är 17 år, och hon går i gymnasieskolan.

**Kalle Nilsson** är 14 år. Han går i grundskolans högstadium. Han har en katt, som heter Måns.

**Milan Novak** är 29 år och gift. Han är tandtekniker.

**Maria Novak** är 26 år och gift. Hon är livsmedelsarbetare.

**Jasna Novak** är 8 år. Hon går i grundskolans lågstadium och får hemspråksundervisning.

**Erik Svensson** är 38 år och gift. Han är bilmekaniker (eller montör).

**Birgitta Svensson** är 35 år och gift. Hon är hemmafru.

**Olle Svensson** är 16 år och går i grundskolans högstadium.

Jag heter Erik Svensson.
Vad heter du?

              Jag heter Eva Hellström.

**Anna Svensson** är 13 år och går i grundskolans mellanstadium.

Jag är från Lund.
Varifrån är du?

              Jag är från Stockholm.

**Karin Svensson** är bara 2 år.

**Karo** är 5 år. Det är familjens hund.

Deras adress är **Storgatan 12,  222 38  LUND**

# Alfabetet

29 bokstäver

| | | | | |
|---|---|---|---|---|
| a | | apa | Adam | A |
| b | | bok | Bertil | B |
| c | | cykel | Cesar | C |
| d | | dam | David | D |
| e | | ek | Erik | E |
| f | | fot | Filip | F |
| g | | gris | Gustav | G |
| h | | hus | Helge | H |
| i | | is | Ivar | I |
| j | | jul | Johan | J |
| k | | kaka | Kalle | K |
| l | | lamm | Ludvig | L |
| m | | mamma | Martin | M |
| n | 9 | nio | Niklas | N |
| o | | os | Olof | O |

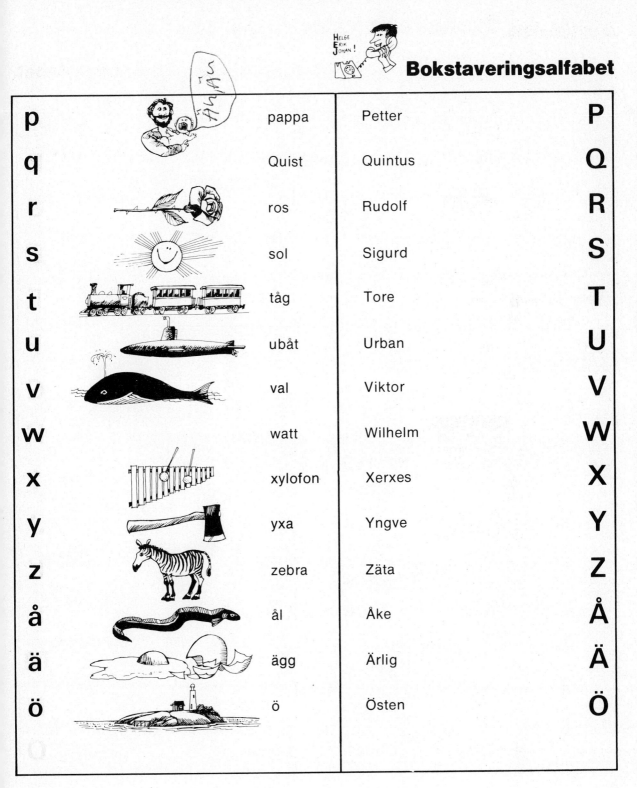

| | | |
|---|---|---|
| p | pappa | Petter |
| q | Quist | Quintus |
| r | ros | Rudolf |
| s | sol | Sigurd |
| t | tåg | Tore |
| u | ubåt | Urban |
| v | val | Viktor |
| w | watt | Wilhelm |
| x | xylofon | Xerxes |
| y | yxa | Yngve |
| z | zebra | Zäta |
| å | ål | Åke |
| ä | ägg | Ärlig |
| ö | ö | Östen |

P Q R S T U V W X Y Z Å Ä Ö

# Svenska vokaler

| | A | Å | O | U | E | Ä | I | Y | Ö |
|---|---|---|---|---|---|---|---|---|---|
| 9 bokstäver | | | | | | | | | |

17 ljud   [ạ] [a] [ạ̊] [å] [ọ] [o] [ụ] [u] [ẹ] [e] [ä] [i] [i] [y] [y] [ọ̈] [ö]

Tryckaccent på vokal + 0 eller 1 konsonant → **lång vokal:**

sa var

a å o u e i ä y ö

Tryckaccent på vokal + flera konsonanter → **kort vokal:**

att harts

ạ ạ̊ ọ ụ ẹ ị ä ẏ ọ̈

Ingen tryckaccent → **kort vokal:**

Mamma sa att alla var glada

ạ ạ̊ ọ ụ ẹ ị ä ẏ ọ̈

A
— ① glass  ạ 
— ② glas  a

Å
— ① tång  ạ̊ 
— ② kål  å

O
— ① kopp  ạ̊ 
— ② kol  å 
— ③ ost  ọ 
— ④ stol  o

U
— ① buss  ụ 
— ② hus  u

E
— ① ett  ẹ
— ② brev  e

**1**

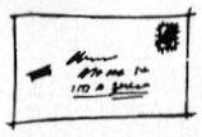

Ä
— ① häst  ẹ 
— ② väg  ä

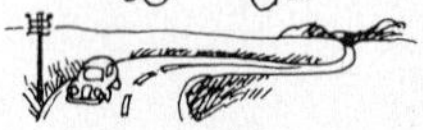

I
— ① fisk  ị 
— ② bil  i

Y
— ① rygg  ẏ
— ② tyg  y

Ö
— ① möss  ọ̈
— ② bröd  ö

# Grammatik
## Personliga pronomen

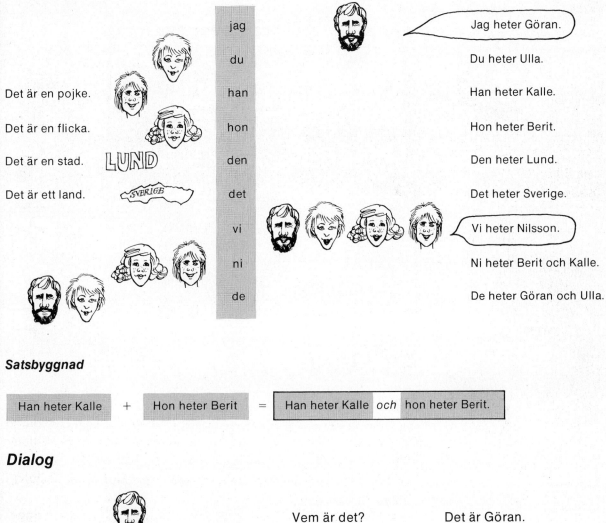

| | |
|---|---|
| | Jag heter Göran. |
| | Du heter Ulla. |
| Det är en pojke. | Han heter Kalle. |
| Det är en flicka. | Hon heter Berit. |
| Det är en stad. | Den heter Lund. |
| Det är ett land. | Det heter Sverige. |
| | Vi heter Nilsson. |
| | Ni heter Berit och Kalle. |
| | De heter Göran och Ulla. |

jag
du
han
hon
den
det
vi
ni
de

## Satsbyggnad

| Han heter Kalle | + | Hon heter Berit | = | Han heter Kalle *och* hon heter Berit. |
|---|---|---|---|---|

# Dialog

| | |
|---|---|
| Vem är det? | Det är Göran. |
| Vem är det? | Det är Berit. |
| Vad är det? | Det är en familj. |
| Vad är det? | Det är en stad. |
| Vad är det? | Det är ett land. |
| Vad är det? | Det är ett hus och en gata. |

**?** *ett frågetecken*

15

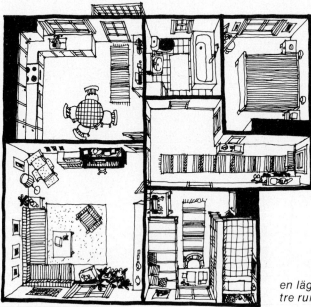

*en lägenhet på
tre rum och kök*

# *Ett hus i Lund*

Familjen Nilssons lägenhet är på tre rum och kök. De har ett vardags-
rum och två sovrum. De har också ett kök, en hall, ett badrum och en
balkong.

   Familjen Svensson bor också på Storgatan 12. De har tre barn.
Svenssons har en lägenhet på fyra rum och kök. De har ett vardags-
rum och tre sovrum.

## *Grammatik*
*Räkneord—grundtal*

| | | | |
|---|---|---|---|
| 1 en, ett | 11 elva | 21 tjugoen, tjugoett | 31 trettioen, trettioett |
| 2 två | 12 tolv | 22 tjugotvå | 40 fyrtio [förti] |
| 3 tre | 13 tretton | 23 tjugotre | 41 fyrtioen, fyrtioett |
| 4 fyra | 14 fjorton | 24 tjugofyra | 50 femtio |
| 5 fem | 15 femton | 25 tjugofem | 60 sextio |
| 6 sex | 16 sexton | 26 tjugosex | 70 sjuttio |
| 7 sju | 17 sjutton | 27 tjugosju | 80 åttio |
| 8 åtta | 18 arton | 28 tjugoåtta | 90 nittio |
| 9 nio | 19 nitton | 29 tjugonio | 100 hundra |
| 10 tio | 20 tjugo | 30 trettio | 123 hundratjugotre |

| 2 + 3 = 5 | 6 − 4 = 2 |
|:---:|:---:|
| plus    är | minus |
| 2 × 3 = 6 | 12 : 3 = 4 |
| gånger | delat med |

## Genitiv

genitiv

Lena    Lena**s**

Lena har en bil.   Det är Lena**s** bil.

## Ordbildning

en lägenhet på tre rum = en trerumslägenhet = tre + rum + s + lägenhet

                         1    2      3

## Ord och uttryck

familjen Nilsson = Nilssons
familjen Svensson = Svenssons

Nilssons bor på Storgatan.
Svenssons bor också på Storgatan.

## Dialog

HAR DU EN LÄGENHET ELLER ETT RUM?

JAG HAR ETT RUM

| | |
|---|---|
| Var bor du? | Jag bor på Nygatan 3. |
| Har du en lägenhet eller ett rum? | Jag har ett rum. |
| Hur många rum har Svenssons? | De har fyra rum. |
| Hur mycket är två plus tre? | Det är fem. |
| Hur mycket är 3 × 4? | Det är 12. |

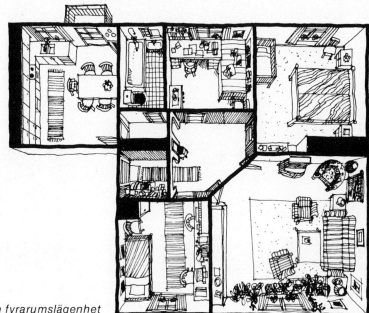

*en fyrarumslägenhet*

# Familjen Svensson

Familjen Svensson består av fem personer. Det finns en far och en mor och tre barn i familjen. Birgitta och Erik har en son, som heter Olle och är sexton år, en dotter, som heter Anna och är tretton år, och en som heter Karin och är två år.

Familjen har också en hund, som heter Karo.

Svenssons bor på bottenvåningen i huset, och det är bekvämt för en barnfamilj.

Birgitta är hemmafru, men Erik arbetar i Malmö på en bilverkstad. Han är bilmekaniker.

## Grammatik
### Obestämd — bestämd form

| obestämd form | bestämd form | obestämd form | bestämd form |
|---|---|---|---|
| en bil | bil**en** | ett hus | hus**et** |
| en pojke | pojk**en** | ett piano | piano**t** |

## Genus

| utrum    80 % av alla substantiv | neutrum    20 % av alla substantiv |
|---|---|
| (% = procent) | |
| ♂ en pojke    pojken ➞ han <br> ♀ en flicka    flickan ➞ hon <br>　en bil    bilen ➞ den | ett hus    huset ➞ det |

## Satsbyggnad

| *sats* | | *sats* |
|---|---|---|
| Erik bor i Lund. | | Han arbetar i Malmö. |

*sats*　　+　　*sats*

Erik bor i Lund, | men | han arbetar i Malmö.

Lund ⟷ Malmö
*motsats*

| *sats* | | *sats* |
|---|---|---|
| De har en flicka. | | Hon heter Karin. |

*sats*　　+　　*sats*

De har en flicka, | som | heter Karin.

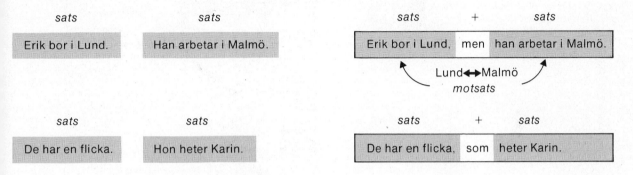

| 5 år | Erik, 38 år | Birgitta, 35 år |
|---|---|---|

| Olle, 16 år | Anna, 13 år | Karin, 2 år |
|---|---|---|

## Dialog

— Hur gammal är Erik?　　— Han är 38 år gammal.
— Hur gammal är Karin?　　— Hon är bara två år.
— Hur gammal är hunden?　— Den är fem år.

Göran bygger hus.

Ulla sitter i kassan.

Kalle cyklar hem.

Berit promenerar till skolan.

# Nilssons

Göran Nilsson är murare. Han bygger hus. Göran har en bil. Varje dag kör han bil till arbetet.

Ulla Nilsson är inte hemmafru. Hon är kassörska och hon arbetar på ett varuhus. Hon sitter i kassan. Hon har inte någon cykel, utan hon åker buss till arbetet. Från busshållplatsen går hon till varuhuset.

Kalle Nilsson är fjorton år. Han arbetar inte. Han går i skolan i årskurs åtta. Kalle har en cykel. Han cyklar till skolan. Efter skolan cyklar han hem. Kalle har en katt, som heter Måns. Måns hatar Svenssons hund. Berit Nilsson är sjutton år, och hon går också i skolan. Berit cyklar inte, och hon åker inte buss, utan hon promenerar till skolan.

# Ord och uttryck

Berit går hem.          Berit går hemifrån.

## Grammatik
### Ordföljd

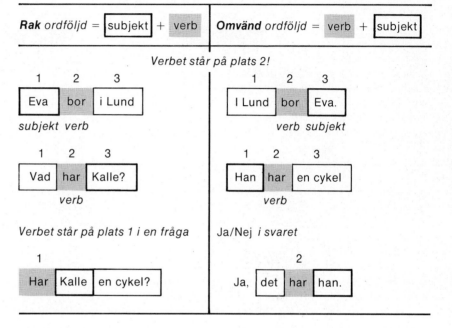

**Rak** ordföljd = subjekt + verb     **Omvänd** ordföljd = verb + subjekt

*Verbet står på plats 2!*

| 1 | 2 | 3 |
|---|---|---|
| Eva | bor | i Lund |

*subjekt  verb*

| 1 | 2 | 3 |
|---|---|---|
| I Lund | bor | Eva. |

*verb  subjekt*

| 1 | 2 | 3 |
|---|---|---|
| Vad | har | Kalle? |

*verb*

| 1 | 2 | 3 |
|---|---|---|
| Han | har | en cykel |

*verb*

*Verbet står på plats 1 i en fråga*     Ja/Nej *i svaret*

| 1 |
|---|
| Har | Kalle | en cykel? |

| 2 |
|---|
| Ja, | det | har | han. |

## En – någon – inte någon

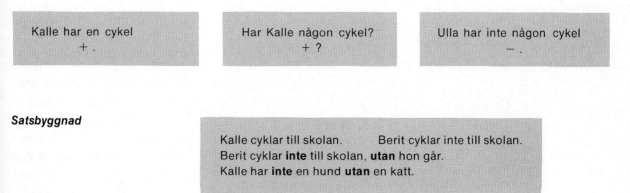

| Kalle har en cykel<br>+ . | Har Kalle någon cykel?<br>+ ? | Ulla har inte någon cykel<br>– . |
|---|---|---|

### Satsbyggnad

Kalle cyklar till skolan.     Berit cyklar inte till skolan.
Berit cyklar **inte** till skolan, **utan** hon går.
Kalle har **inte** en hund **utan** en katt.

21

## Dialog 1

— Har Kalle någon cykel?

— Ja, det har han.

— Har Berit någon cykel?

— Nej, det har hon inte.

— Har han något hus?

— Ja, det har han.

— Har hon något hus?

— Nej, det har hon inte.

## Dialog 2

| | |
|---|---|
| Erik | Hur kommer du till arbetet? |
| Göran | Jag kör bil. |
| Erik | Jaså, och hur kommer Ulla till arbetet? |
| Göran | Hon åker buss. |

## Dialog 3

— Vad heter du? — Jag heter Kalle Nilsson.

— Var bor du? — Jag bor på Storgatan 12 i Lund.

— Hur gammal är du? — Jag är 14 år gammal.

— Har du någon katt? — Ja, det har jag.

— Vad heter den? — Den heter Måns.

— Har du någon hund? — Nej, det har jag inte.

— Har du någon syster? — Ja, det har jag.

— Vad heter hon? — Hon heter Berit.

— Hur gammal är hon? — Hon är 17 år.

← *en slickepinne*

# Bo kommer för sent

Klockan är halv åtta på morgonen. Bo Lundin står och väntar på bussen till universitetet, men den kommer inte.

Bo går fram och tillbaka på busshållplatsen, men bussen kommer fortfarande inte. Bo tittar på klockan. Den är kvart i åtta, och lektionen i engelska börjar kvart över åtta. Bo börjar gå till universitetet, men han kommer inte dit förrän klockan halv nio. Han kommer för sent.

Klockan tio slutar lektionen, och då börjar Bo gå till busshållplatsen. Men då kommer bussen! Den kommer för tidigt! Bo börjar springa, men han hinner inte. Han kommer för sent igen. Bussen kör vidare, och Bo börjar gå hem. Han är inte hemma förrän kvart i elva. Han har verkligen otur idag!

## Grammatik
### Hjälpverb och huvudverb

*Påståendesatser:* hjälpverbet *står på plats 2!*

| infinitiv | presens | |
|---|---|---|
| tala | talar | Bo talar engelska. |
| springa | springer | Bo springer. |
| gå | går | Bo går. |

**2**

| | hjälpverb | huvudverb |
|---|---|---|
| Bo | kan | tala engelska. |
| Bo | börjar | springa. |
| Bo | börjar | gå. |
| Bo | ska | sluta klockan tio. |

**2**
*hjälpverb*

| Då | börjar | Bo gå. |
|---|---|---|
| Bo | börjar | gå då. |

*I ja/nej-frågor står* hjälpverbet *på plats 1*

**1**
*hjälpverb*

Kan Bo tala svenska?     Ja, det kan han.

## Ord och uttryck

Vad är klockan?

Klockan är halv åtta.

Klockan är kvart i åtta.

När börjar lektionen?

Lektionen börjar kvart över åtta.

07.45

Bo kommer för tidigt.
Bo hinner till lektionen.

08.15

Bo kommer i tid.
Bo hinner till lektionen.

08.30

Bo kommer för sent.
Bo hinner inte till lektionen.

### Dialog 1

| *Ulla* | Hur mycket är klockan? |
|---|---|
| *Kalle* | Halv åtta. |
| *Ulla* | När börjar skolan? |
| *Kalle* | Kvart över åtta. |

### Dialog 2

| *Bo* | Ursäkta att jag kommer för sent! |
|---|---|
| *Läraren* | Hmmm . . . |
| *Bo* | Bussen var försenad. |
| *Läraren* | Jaha. |

### Dialog 3

| *Erik* | Ursäkta, kan ni säga hur mycket klockan är? |
|---|---|
| *En dam* | Halv två. |
| *Erik* | Tack. |
| *Damen* | För all del. |

### Dialog 4

| *En man* | Kommer inte bussen snart? |
|---|---|
| *En dam* | Och jag som ska börja klockan åtta! |
| *En man* | Nej, nu går jag. |

# Birgitta handlar

Birgitta går till en livsmedelsaffär för att handla. Hon går in i affären och tar en varukorg. Sedan tar hon en liter mjölk, två öl, en limpa, ett paket smör, en bit ost och ett paket korv och lägger i korgen.

Birgitta går till kassan. Det blir 65:60. Birgitta betalar med en hundralapp. Hon får 34:40 tillbaka av expediten.

## Ord och uttryck

| pris | | Hur mycket $\left\{ \begin{array}{l} \text{blir} \\ \text{kostar} \end{array} \right\}$ det? |
|---|---|---|
| —:10 | tio öre | |
| —:50 | femtio öre | |
| 1:— | en krona | Det $\left\{ \begin{array}{l} \text{blir} \\ \text{kostar} \end{array} \right\}$ 65:60. |
| 2:— | två kron**or** | |
| 5:30 | fem (kronor) och trettio (öre) | $\left. \begin{array}{l} \text{Limpan} \\ \text{Den} \end{array} \right\}$ kostar 9:50. |
| 46:70 | fyrtiosex (kronor) och sjuttio (öre) | |

# Göran köper en kvällstidning

Göran står i en kö vid kiosken.

| | |
|---|---|
| *Göran* | Expressen, tack. |
| *Expediten* | Varsågod. Något annat? |
| *Göran* | Nej tack. |
| *Expediten* | 3:— |
| *Göran* | Varsågod. |
| *Expediten* | Tack, tack. |

# Anna åker buss

Anna står vid en busshållplats.
Bussen kommer, och Anna stiger på den.

| | |
|---|---|
| *Anna* | Linero. |
| *Chauffören* | 2:– |
| *Anna* | Varsågod. Vill ni säga till, när vi är på Linero. |
| *Chauffören* | Javisst. |

# Berit köper en veckotidning

| | |
|---|---|
| *Expediten* | Vad får det vara? |
| *Berit* | Kan jag få Veckorevyn och ett äpple, tack! |
| *Expediten* | Ja, varsågod. Något annat? |
| *Berit* | Nej tack, det är bra så. |
| *Expediten* | 10:– för tidningen och 1:50 för äpplet. Det blir 11:50 |
| *Berit* | Jag har bara en hundralapp. Kan ni växla den? |
| *Expediten* | Ja, det går bra. Femton, tjugo, trettio, fyrtio, femtio och hundra kronor. Varsågod. |
| *Berit* | Tack, tack. |

*ett mynt*                                                    *en sedel*

 en tioöring

 en tia

 en femtioöring

 en femtilapp

 en enkrona

en hundralapp

 en femkrona

en femhundralapp

en tusenlapp

## Ord och uttryck

| *Att be om något* | *Att ge och få* |
| --- | --- |
| Kan jag få . . . | Birgitta **ger** expediten en femtilapp. |
| Får jag . . . | Expediten **får** en femtilapp **av** Birgitta. |
| Skulle jag kunna få . . . | |
| Jag skulle vilja ha . . . | |
| Jag ska be att få . . . | |

*för att . . . + infinitiv*

Birgitta går till affären för att handla.

Erik arbetar på en bilverkstad.

Olof arbetar på ett bygge.

# Erik och Olof Svensson

Erik Svensson är bilmekaniker på en verkstad i Malmö. Han börjar arbetet klockan halv åtta och slutar klockan halv fem. Han har kafferast från halv tio till kvart i tio. Mellan tolv och ett äter han lunch. Han arbetar sedan från klockan ett till halv tre. Då har han kafferast igen till kvart i tre. Sedan arbetar han till klockan halv fem. Då slutar Erik arbetet och kör hem. Klockan sex äter han middag hemma med familjen.

Erik har en bror, som heter Olof Svensson. Olof är också från Lund, men han bor i Uppsala. Han är murare och arbetar nu på ett bygge nära Uppsala.

Olof vaknar klockan halv sex. Kvart i sju kör han till arbetet. Han arbetar mellan sju och fyra. Då kör han hem till familjen. Olofs fru Gunilla, som är lärare, står i köket och lagar middag. Olof hjälper Gunilla att duka, och klockan sex äter familjen middag. Sedan går Olof in i vardagsrummet för att läsa och titta på TV. Han har tre barn, som dukar av matbordet och diskar efter maten. Det är bra med barn, som hjälper till.

# Grammatik
## Satsbyggnad

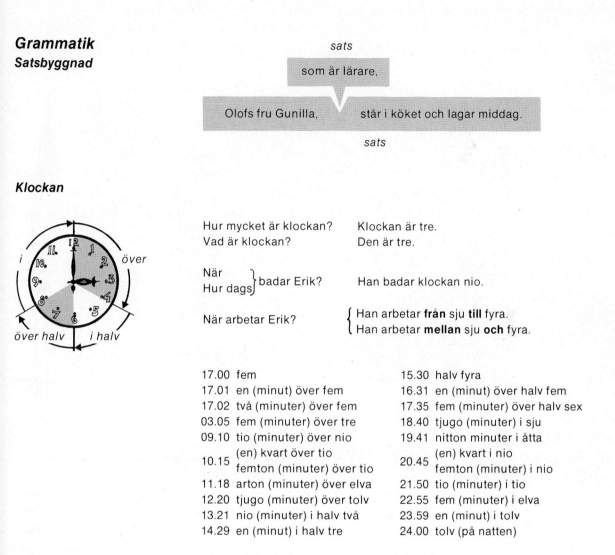

*sats*

som är lärare,

Olofs fru Gunilla,        står i köket och lagar middag.

*sats*

## Klockan

Hur mycket är klockan?     Klockan är tre.
Vad är klockan?            Den är tre.

När
Hur dags } badar Erik?     Han badar klockan nio.

När arbetar Erik?     { Han arbetar **från** sju **till** fyra.
                      { Han arbetar **mellan** sju **och** fyra.

| | | | |
|---|---|---|---|
| 17.00 | fem | 15.30 | halv fyra |
| 17.01 | en (minut) över fem | 16.31 | en (minut) över halv fem |
| 17.02 | två (minuter) över fem | 17.35 | fem (minuter) över halv sex |
| 03.05 | fem (minuter) över tre | 18.40 | tjugo (minuter) i sju |
| 09.10 | tio (minuter) över nio | 19.41 | nitton minuter i åtta |
| 10.15 | (en) kvart över tio / femton (minuter) över tio | 20.45 | (en) kvart i nio / femton (minuter) i nio |
| 11.18 | arton (minuter) över elva | 21.50 | tio (minuter) i tio |
| 12.20 | tjugo (minuter) över tolv | 22.55 | fem (minuter) i elva |
| 13.21 | nio (minuter) i halv två | 23.59 | en (minut) i tolv |
| 14.29 | en (minut) i halv tre | 24.00 | tolv (på natten) |

# Ord och uttryck

Klockan är halv tre.  Då  har han kafferast.

(Klockan halv tre)

Hon **dukar** före middagen.     Hon **dukar av** efter middagen.
Han **går in** i rummet.         Han **går ut ur** rummet.

# En frånskild kvinna

Ingrid Ek är sjuksköterska och arbetar på ett sjukhus i Lund. Varannan vecka arbetar hon på förmiddagen, och varannan vecka på eftermiddagen.

Ingrid är skild. Hon har en pojke på sex år, som heter Mats. Han är på ett daghem, medan mamma arbetar. Varannan vecka är Mats på "dagis" från halv åtta på morgonen till halv två på eftermiddagen, och varannan vecka är han där mellan halv elva på förmiddagen och halv sex på eftermiddagen.

Mats blir väldigt glad, när mamma kommer till daghemmet efter arbetet. De kramar om varandra, och sedan cyklar Ingrid hem med Mats bak på cykeln. På hemvägen stannar de vid en affär och handlar mat.

Efter middagen tittar de ofta på TV tillsammans eller läser en saga, t. ex. Pippi Långstrump. Ingrid går ibland ut på kvällen, men då kommer Berit Nilsson och sitter barnvakt. Berit bor ju i samma hus, så hon och Mats känner varandra väl.

På natten drömmer Mats om sagan.

# Grammatik
## Satsbyggnad

| Mats är på ett daghem, | när | mamma arbetar. |
|---|---|---|
| *sats* | *konjunktion* | *sats* |

# Ord och uttryck
## Varandra

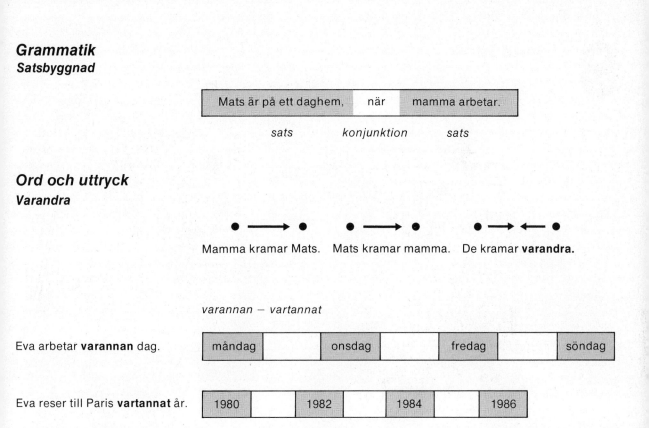

Mamma kramar Mats.   Mats kramar mamma.   De kramar **varandra.**

*varannan – vartannat*

Eva arbetar **varannan** dag.

| måndag | | onsdag | | fredag | | söndag |
|---|---|---|---|---|---|---|

Eva reser till Paris **vartannat** år.

| 1980 | | 1982 | | 1984 | | 1986 |
|---|---|---|---|---|---|---|

# Dygnets tider

00 – 24   Det är ett dygn.   Dygnet har 24 timmar.

05 – 08   Det är morgon.   Ingrid äter frukost på morgonen.

08 – 12   Det är förmiddag.   Bo studerar på förmiddagen.

12 – 18   Det är eftermiddag.   Birgitta handlar på eftermiddagen.

18 – 23   Det är kväll.   Familjen tittar på TV på kvällen.

23 – 05   Det är natt.   Mats sover på natten.

05 – 23   Det är dag.   Bo sover inte på dagen.

# Bo Lundin — en student

Bo Lundin är tjugotre år gammal och bor också i huset på Storgatan 12. Han är student och läser engelska vid universitetet i Lund. Bo har en tvårumslägenhet med vardagsrum, sovrum, kök, hall och badrum, men han har inte någon balkong. Från fönstret i vardagsrummet har han utsikt över staden.

Han lagar mat på spisen och äter vid matbordet i köket. I sovrummet har han en säng, där han sover, och ett skrivbord, som han sitter och studerar vid. Han badar i badkaret i badrummet. I vardagsrummet har han en soffa och en fåtölj, som han sitter i, när han läser tidningen eller lyssnar på musik. Han tycker om både klassisk och modern musik.

# Grammatik
## Presens

Verbet har fyra konjugationer

| | infinitiv | + | = | presens |
|---|---|---|---|---|
| att (infinitiv- märke) | 1 studera laga bada lyssna | -r | han | studerar lagar badar lyssnar |
| | 2 läs/a tyck/a om | -er | han | läser tycker om |
| | 3 bo | -r | han | bor |
| | 4 ät/a sov/a ha gör/a | -er -r | han han han han | äter sover har gör |

Relativsatser

Bo har en säng.  Han sover i sängen.
Bo har en säng, **som** han sover i.

Bo har en säng, **där** han sover.

## Frågor och svar

Bo **har** en lägenhet.
Bo **är** student.

**Har** Bo någon lägenhet?
**Är** Bo student?

Bo **studerar.**
Bo **sover** i sovrummet.
Bo **badar** ofta.

**Studerar** Bo?
**Sover** Bo i sovrummet?
**Badar** Bo ofta?

| ja | | har | | |
| --- | det | är | han | |
| nej | | gör | | inte. |

**OBSERVERA!**    ett fönster ⟶ fönstret

## Ord och uttryck

Bo tycker om klassisk musik. Bo tycker om modern musik.
Bo tycker om **både** klassisk **och** modern musik.

## Ordbildning

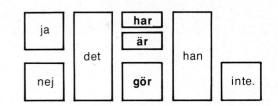

att sova + ett rum = ett sovrum
att bada + ett rum = ett badrum
att bada + ett kar = ett badkar
att skriva + ett bord = ett skrivbord

s o v ↘
a

# *En lektion i geografi*

Jasna går i skolan och har en lektion i geografi.
Läraren frågar, och Jasna svarar.

*Läraren*   Vad är det här?
*Jasna*     Det är en karta över Europa.
*Läraren*   Vad är det där?
*Jasna*     Det är ett land, som heter Jugoslavien.
*Läraren*   Vad heter Jugoslaviens huvudstad?
*Jasna*     Den heter Belgrad.
*Läraren*   Var ligger Madrid?
*Jasna*     Madrid ligger i Spanien.
*Läraren*   Vilken stad bor du i?
*Jasna*     Jag bor i Lund.
*Läraren*   I vilket land ligger London?

| Jasna | London ligger i England. |
| Läraren | Vad är Island? |
| Jasna | Det är en ö i Atlanten. |
| Läraren | Vad är Vänern? |
| Jasna | Det är en sjö i Sverige. |
| Läraren | Varifrån kommer Paolo? |
| Jasna | Han kommer från Italien. |
| Läraren | Vad heter Italiens huvudstad? |
| Jasna | Den heter Rom på svenska och "Roma" på italienska. |
| Läraren | Det är bra, Jasna. Du är duktig i geografi. |

# Grammatik

## Demonstrativa pronomen

Vad är det här?    Det här är en bil.    det här

Vad är det där?    Det där är ett hus.    $\downarrow$    det där $\longrightarrow$

## Frågeord

Vilken buss tar Ulla? Hon tar trean. Vilken stad kommer Paolo från?
Han kommer från Rom.
Vilket rum är det? Det är köket. Vilket varuhus handlar du på?
Jag handlar på Domus.

**OBSERVERA!**    "citationstecken"

# Dialog

| Kalle | Hej! Vad heter du? |
| Jasna | Jasna. Och du då? |
| Kalle | Jag heter Kalle. Var är du ifrån? |
| Jasna | Jag är från Jugoslavien. Och du själv då? |
| Kalle | Jag bor ju här i Sverige. |

# *Två flickor i en våning*

Kristina Sandberg och Monika Holm bor tillsammans i en fyrarums-
lägenhet tre trappor upp på Storgatan 12. Kristina är kontorist, och
Monika är sekreterare på samma företag. De har samma arbetstider.
De börjar arbeta klockan åtta och slutar klockan fem.

I vardagsrummet har de två soffor, tre bord, två fåtöljer och två
stolar. I fönstret står många blomkrukor.

I köket hänger gardiner i fönstret, och där står också ett köksbord
med två köksstolar. Över diskbänken finns många skåp, och där har
de fat, koppar och glas. Under diskbänken finns det många lådor
med skedar, gafflar och knivar.

I sovrummet står två sängar. Där finns också två sängbord och två
byråar. På Monikas säng ligger tre kuddar, och på Kristinas två
veckotidningar.

# Grammatik
## Substantivens deklinationer

| deklination | singular | plural-ändelse | plural |
|---|---|---|---|
| 1 | en lampa | **-or** | lamp**or** |
| 2 | en stol | **-ar** | stol**ar** |
| 2 | en kudde | **-ar** | kudd**ar** |
| 3 | en gardin | **-er** | gardin**er** |
| 4 | ett piano | **-n** | piano**n** |
| 5 | ett bord | — | bord |
| 5 | en sekreterare | — | sekreterare |

| I LEXIKON | |
|---|---|
| en lamp/a | -or |
| en stol | -ar |
| en kudd/e | -ar |
| en gardin | -er |
| ett piano | -n |
| ett bord | — |
| en sekreterare | — |

# Ord och uttryck

Monika arbetar från åtta till fem. Kristina arbetar **också** från åtta till fem.
Monika och Kristina har **samma** arbetstider.

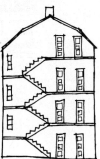

tre trappor = 3 tr.

två trappor = 2 tr.

en trappa = 1 tr.

nedre botten = n.b.

en sked -ar

en kniv -ar

en gaff/el -lar

en tallrik -ar

ett fat —

en kopp -ar

# Grammatik
## Vad heter ordet i plural?

①    I deklination 1 finns flerstaviga **en**-ord på **-a:**   en   lampa − lamp**or**

| | | | |
|---|---|---|---|
| en flicka | en tia | en skola | en kvinna |
| en skiva | en karta | en kamera | en flygvärdinna |
| en kassa | en tavla | en matta | en sjuksköterska |
| en gata | en lampa | en städerska | **OBSERVERA!** en ros |

37

(2) **I deklination 2 finns enstaviga en-ord på konsonant:   en bil − bilar**

en duk     en pall     en dag   en middag   en förmiddag   en eftermiddag
en stol     en hund
en kväll     en säng

**OBSERVERA!**     en bro − broar   en fru − fruar

**I deklination 2 finns flerstaviga ord på -e: en pojke − pojkar**

**I deklination 2 finns också ord på  -el**: en cykel − cyklar
                                        **-er**: en syster − systrar
                                        **-ing**:en tidning − tidningar

**OBSERVERA!**     en byrå − byråar
en morgon − morgnar

(3) **I deklination 3 finns flerstaviga slutbetonade ord: en fabrik − fabriker**

en familj       en montör       en ingenjör     en pilot       en maskin
en fåtölj       en kiosk        en antenn       en kontorist   ett draperi
en gardin       en student      en present      en militär

**OBSERVERA!**     en katt − katter     en plats − platser        en ko − kor
en bank − banker   en lägenhet − lägenheter   en sko − skor
en vas − vaser     ett pris − priser          en radio − radior

(4) **I deklination 4 finns ett-ord på vokal: ett piano − pianon**

ett foto   ett bygge   ett arbete   ett knä   ett ställe   ett frimärke

(5) **I deklination 5 finns ett-ord på konsonant: ett hus − hus**

ett skåp       ett träd        ett bord
ett tak        ett kök         ett överkast
ett rum        ett fönster     ett kontor
ett golv       ett barn        ett flygbolag

ett hus − ett sjukhus − ett varuhus
ett namn − ett förnamn − ett efternamn

**I deklination 5 finns en-ord på -are: en lärare − lärare**

en skivspelare             en högtalare     en sekreterare
en kassettbandspelare      en murare

# Min familj

Hej! Jag heter Olle Svensson. Mitt förnamn är Olle, och mitt efternamn är Svensson. Min adress är Storgatan 12, Lund, och mitt telefonnummer är 12 34 56. Mina föräldrar heter Erik och Birgitta. Mina systrar heter Anna och Karin. Deras efternamn är förstås också Svensson.

Vi har en hund, som heter Karo. Vi bor i en fyrarumslägenhet, och vi har en sommarstuga i Småland. Min pappa är bilmekaniker, och han och jag brukar syssla med vår bil och min moped. Bilar är både hans yrke och hans hobby. Det är bra att ha en pappa, som kan allt om bilar och mopeder.

Men min mamma kan ingenting om bilar. Hennes hobby är att dansa folkdans. Hon brukar ibland köpa en damtidning med artiklar om kläder, och Anna lånar ibland hennes tidning.

Mina systrars intressen är dans och musik, och Anna dansar balett två kvällar i veckan. Karin lyssnar ofta på skivor i vår stereoanläggning.

## Dialog

- Vems cykel är det?
- Vems hund är det?
- Vems bil är det?
- Vems hobby är det att dansa folkdans?
- Vems är katten?
- Vems är mopeden?

- Det är min.
- Det är vår hund.
- Det är vår bil.
- Det är mammas hobby.
- Det är Kalles.
- Det är också hans.

## Grammatik
### Possessiva pronomen

|          | jag  | min   | mitt  | mina  |            |
|          | du   | din   | ditt  | dina  |            |
|----------|------|-------|-------|-------|------------|
| (pojken) | han  | hans  | hans  | hans  | (pojkens)  |
| (flickan)| hon  | hennes| hennes| hennes| (flickans) |
| (hunden) | den  | dess  | dess  | dess  | (hundens)  |
| (barnet) | det  | dess  | dess  | dess  | (barnets)  |
|          | vi   | vår   | vårt  | våra  |            |
|          | ni   | er    | ert   | era   |            |
|          | de   | deras | deras | deras |            |

**Jag** har **en** matta, **ett** skåp och **två** bord. Det är **min** matta, **mitt** skåp och **mina** bord.
**Du** har **en** lampa, **ett** bord och **två** skåp. Det är **din** lampa, **ditt** bord och **dina** skåp.
**Han** har **en** stol, **ett** piano och **två** mattor. Det är **hans** stol, **hans** piano och **hans** mattor.
**Hon** har **en** tv, **ett** kök och **två** stolar. Det är **hennes** tv, **hennes** kök och **hennes** stolar.
**Den** har **en** korg, **ett** namn och **två** kuddar. Det är **dess** korg, **dess** namn och **dess** kuddar.
**Det** har **en** boll, **ett** rum och **två** skor. Det är **dess** boll, **dess** rum och **dess** skor.

**Vi** har **en** bil, **ett** hus och **två** rum. Det är **vår** bil, **vårt** hus och **våra** rum.
**Ni** har **en** klocka, **ett** glas och **två** fat. Det är **er** klocka, **ert** glas och **era** fat.
**De** har **en** hund, **ett** barn och **två** bilar. Det är **deras** hund, **deras** barn och **deras** bilar.

## Dialog

Herr och fru Falk träffar herr Olsson.
*Torsten Falk* Goddag, herr Olsson.
*Herr Olsson* Goddag, goddag.
*Torsten Falk* Får jag presentera herr Olsson! Det här är min hustru Greta.
*Herr Olsson* Goddag.

40

# Ett vykort från Mallorca

Eva och Åke Hellström, som bor på tredje våningen i huset på Storgatan, får en dag ett vykort från Mallorca. På framsidan finns en bild av en gul sandstrand, ett blått hav, stora vita hus och gröna träd. Vykortet är från Evas föräldrar. De skriver så här:

Palma den 14 maj

Kära Eva och Åke!

Efter en trevlig resa är vi nu i Palma på ön Mallorca. Palma är en vacker gammal stad. Vi har ett litet men rent och fint rum med en underbar utsikt över Medelhavet. Vädret är vackert, och maten är god. Vi har det verkligen skönt.

En stor kram från mamma och pappa.

Åke och Eva Hellström
Storgatan 12, 2tr.
S- 222 38 LUND
SUECIA

# Ord och uttryck

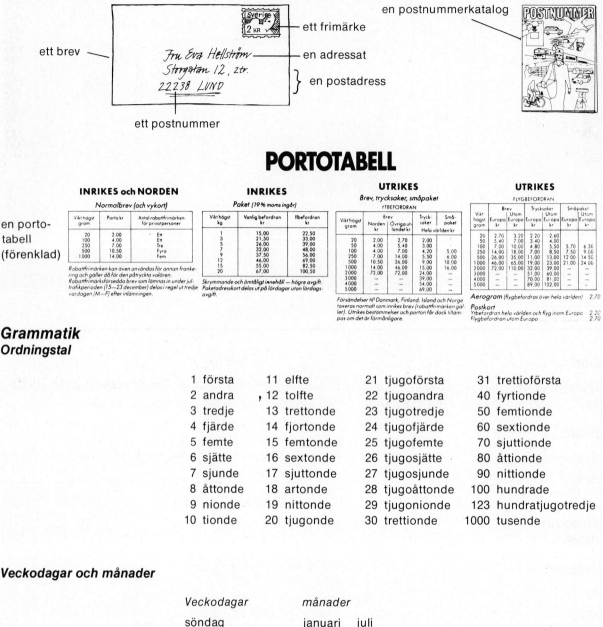

ett brev

ett frimärke

en adressat

en postadress

*Fru Eva Hellström*
*Storgatan 12, 2tr.*
*22238 LUND*

ett postnummer

en postnummerkatalog

# PORTOTABELL

# Grammatik
## Ordningstal

| | | | |
|---|---|---|---|
| 1 första | 11 elfte | 21 tjugoförsta | 31 trettioförsta |
| 2 andra | 12 tolfte | 22 tjugoandra | 40 fyrtionde |
| 3 tredje | 13 trettonde | 23 tjugotredje | 50 femtionde |
| 4 fjärde | 14 fjortonde | 24 tjugofjärde | 60 sextionde |
| 5 femte | 15 femtonde | 25 tjugofemte | 70 sjuttionde |
| 6 sjätte | 16 sextonde | 26 tjugosjätte | 80 åttionde |
| 7 sjunde | 17 sjuttonde | 27 tjugosjunde | 90 nittionde |
| 8 åttonde | 18 artonde | 28 tjugoåttonde | 100 hundrade |
| 9 nionde | 19 nittonde | 29 tjugonionde | 123 hundratjugotredje |
| 10 tionde | 20 tjugonde | 30 trettionde | 1000 tusende |

# Veckodagar och månader

| Veckodagar | månader | |
|---|---|---|
| söndag | januari | juli |
| måndag | februari | augusti |
| tisdag | mars | september |
| onsdag | april | oktober |
| torsdag | maj | november |
| fredag | juni | december |
| lördag | | |

## 1986

| Januari | Februari | Mars | April | Maj | Juni | Juli | Augusti | September | Oktober | November | December |
|---|---|---|---|---|---|---|---|---|---|---|---|

*En almanacka för 1986*

## Ord och uttryck

Det är lördag i övermorgon.
Det är fredag i morgon.
Det är torsdag idag.
Det var onsdag igår.
Det var tisdag i förrgår.

## Dialog 1

| Tjänstemannen | När är ni född? |
|---|---|
| Åke | Den 17 november 1948. |

## Dialog 2

| Eva | När ska du gå till tandläkaren? |
|---|---|
| Åke | Torsdagen den 19 november. |

## Dialog 3

| Fru Nilsson | Det är vackert väder idag! |
|---|---|
| Fru Falk | Ja, inte sant? |

## Dialog 4

| Åke | Vad är det för dag idag? |
|---|---|
| Eva | Det är torsdag. |

## Grammatik
### Adjektiv

*Regelbundna adjektiv*

| en | ett | många |
|---|---|---|
| stor | stort | stora |
| fin | fint | fina |
| gul | gult | gula |
| trevlig | trevligt | trevliga |

*Oregelbundna adjektiv*

| en | ett | många |
|---|---|---|
| vacker | vackert | vackra |
| gammal | gammalt | gamla |
| liten | litet | små |
| blå | blått | blåa |
| född | fött | födda |

Åke har en **stor** bil.
Åkes bil är **stor.**

Eva bor i ett stort hus.
Huset är stort.

Ingrid har stora mattor.
Hennes mattor är stora.

43

# *Ingrids rum*

Ingrid har ett stort och ljust rum med två fönster. Till höger står en blå soffa med några mjuka kuddar. Framför soffan har hon ett brett, lågt soffbord. Några röda rosor står i en smal vas på bordet. På golvet ligger två gula mattor.

Till vänster i rummet har Ingrid två höga, gamla skåp. Hennes säng står i hörnet av rummet. Den är bred och mjuk och har ett vitt överkast med små blåa blommor på. Över sängen hänger två fina, gamla tavlor.

Ingrid tycker om musik och har en modern stereoanläggning med många skivor. Just nu är Ingrid sjuk — hon har influensa — så hon ligger i sängen och läser en bok. Men hon börjar arbetet på sjukhuset igen, så fort hon blir frisk.

# Grammatik
## Adjektiv

*Regelbundna*

stor      stort      stora

*Oregelbundna*

| | | | | |
|---|---|---|---|---|
| adjektiv på **-el:** | enkel | enkelt | enkla | dubbel |
| adjektiv på **-en:** | mogen | moget | mogna | nyfiken vuxen välkommen |
| adjektiv på **-er:** | vacker | vackert | vackra | mager |
| adjektiv på **-ad:** | målad | målat | målade | lagad |
| adjektiv på **-a, -e:** | bra = | bra = | bra | extra spännande; gratis |
| adjektiv på konsonant + **-t:** | kort = | kort | korta | gift lätt tyst intressant svart |
| andra oregelbundna adjektiv: | hård | hårt | hårda | blond förkyld känd nöjd rund skild såld värd |
| | blå | blått | blåa | fri grå ny |
| | röd | rött | röda | bred död glad sned |
| | gammal | gammalt | gamla | |
| | liten | litet | små | |

## Adjektiv och substantiv

| | | | | | | | | |
|---|---|---|---|---|---|---|---|---|
| en | stor | bil | ett | stort | hus | många | stora | bilar |
| en | blå | vas | ett | blått | bord | många | blåa | vaser |
| en | ny | bok | ett | nytt | överkast | många | nya | böcker |
| en | gammal | bil | ett | gammalt | skåp | många | gamla | bilar |

## Substantiv och adjektiv

Bilen är stor.    Huset är stort.    Ingrids mattor är stora.

## Adjektiv: motsatser

| | |
|---|---|
| Vattnet är kallt. | – Det är inte varmt. |
| Bilen är ny. | – Den är inte gammal. |
| Kvinnan är ung. | – Hon är inte gammal. |
| Gatan är bred. | – Den är inte smal. |
| Mannen är tung. | – Han är inte lätt. |
| Bilen är bra. | – Den är inte dålig. |
| Flickan är frisk. | – Hon är inte sjuk. |
| Bordet är högt. | – Det är inte lågt. |
| Pojken är pigg. | – Han är inte trött. |
| Lampan är billig. | – Den är inte dyr. |

## Ord och uttryck

Ingrid är sjuk.    Hon är hemma.    Ingrid är sjuk, **så** hon är hemma.
Mats har inga pengar.    Han kan inte köpa en cykel.
Mats har inga pengar, **så** han kan inte köpa någon cykel.

# *En vardagskväll*

Efter middagen sitter familjen Svensson i vardagsrummet. Till vänster i rummet står ett piano. Birgitta sitter ofta vid det och spelar gamla melodier. Ibland sjunger Anna och Karin, men det gör de inte i kväll. Karin ligger på mattan mitt i rummet och leker med Karo.

Mitt emot pianot står en soffgrupp med en soffa och två fåtöljer. I den ena fåtöljen sitter Erik och läser tidningen. I den andra sitter Birgitta, när hon tittar på TV. Bakom ryggen på Erik står Anna och läser serier i hans tidning. Hon väntar på att TV-programmet ska börja.

Olle är ute och spelar fotboll, men snart kommer han hem. Sedan sitter han framför TV:n hela kvällen eller vid skrivbordet, som står i hörnet till höger om bokhyllan.

Familjen Svensson tittar mycket på TV, spelar olika spel och löser korsord. De pratar inte så mycket med varandra på kvällen. Det gör de i stället när de sitter runt middagsbordet i köket.

## Grammatik
### Prepositioner

Lampan hänger **över** bordet. Katten ligger **under** bordet.
Vasen står **på** bordet. Rosen står **i** vasen.
Anna står **bakom** bordet. Olle står **framför** bordet.
Bordet står **mellan** Anna och Olle.
Stolen står **vid** bordet. Stolen står **till** höger **om** bordet.
Katten ligger **på** golvet och leker **med** en boll.

## Positioner

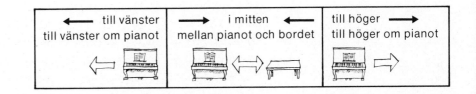

| ← till vänster | → i mitten ← | till höger → |
|---|---|---|
| till vänster om pianot | mellan pianot och bordet | till höger om pianot |

## Ord och uttryck

*den ena – den andra:* Erik har två kartor. **Den ena** är stor och **den andra** är liten.

## Dialog

— Vad är det på TV i kväll?
— En amerikansk långfilm.
— När börjar den?
— Klockan åtta.

# På biblioteket

Kristina Sandberg går på en kvällskurs i italienska sedan två måna-
der tillbaka. Eleverna har i läxa att berätta lite om Italien.

Kristinas läxa är att tala om Italiens geografi, om de stora städerna,
de små byarna, de höga bergen och de långa floderna. Efter arbetet
tar Kristina bussen till biblioteket för att titta i olika böcker där. Strax
utanför biblioteket ligger en kiosk. Kristina går dit och köper två röda
äpplen och två mogna bananer. Expediten lägger äpplena och bana-
nerna i en påse, som Kristina stoppar i väskan. Sedan går hon in på
biblioteket, lämnar ytterkläderna i garderoben och går fram till infor-
mationen. Där får hon veta att uppslagsböckerna finns i läsesalen.
Kristina går dit och hittar snart några böcker om Italien. Hon tar de
stora, tunga böckerna och går till ett ledigt bord.

Läsesalen är ett stort, avlångt rum med långa, gröna bord och
höga bokhyllor längs väggarna. Det sitter många människor vid
borden och läser böcker, tidningar och tidskrifter. Kristina tar upp
påsen med frukten. Hon tar också upp ett anteckningsblock och
några pennor.

Kristina läser och antecknar olika uppgifter om Italien. Sedan
ställer hon tillbaka böckerna på hyllorna och går hem.

# Dialog

| | |
|---|---|
| *Ingrid Ek* | Jag skulle vilja ha ett lånekort. |
| *Bibliotekarien* | Jaha. Förnamn och efternamn? |
| *Ingrid Ek* | Ingrid Ek. |
| *Bibliotekarien* | Adress? |
| *Ingrid Ek* | Storgatan 12, postnummer 222 38, Lund. |
| *Bibliotekarien* | Telefon? |
| *Ingrid Ek* | 65 43 21. |
| *Bibliotekarien* | Personnummer? |
| *Ingrid Ek* | 53 07 26-2147 |
| *Bibliotekarien* | Vill Ni skriva Ert namn här? |

*ett lånekort*

---

**STADS BIBLIO TEKET LUND**

**LÅNEKORT**
**Nr 9009614**

900 96 14 1207 D0

Lånekortet ska medföras vid varje lånetillfälle
LUNDS STADSBIBLIOTEK Box 111
221 00 Lund. Tel 046-14 01 90

Efternamn, tilltalsnamn
Ek Ingrid

c/o

Adress (gata, nr, uppg, tr)
Storgatan 12

Postnr, ort
223 38 LUND

Telefonnr (riktnr, abonnentnr)
046/65 43 21

Personnr (år, mån, dag, födelsenr)
530726-2147

Jag har tagit del av bibliotekets lånebestämmelser och förbinder mig att iakttaga dem.

*Ingrid Ek*

(Namnteckning)

# Grammatik
## Substantivens deklinationer

| Deklination | Singular | | Plural | |
| --- | --- | --- | --- | --- |
| | *obestämd form* | *bestämd form* | *obestämd form* | *bestämd form* |
| 1 | en lampa | lampan | lampor | lamporna |
| 2 | en stol | stolen | stolar | stolarna |
| | en kudde | kudden | kuddar | kuddarna |
| 3 | en gardin | gardinen | gardiner | gardinerna |
| 4 | ett piano | pianot | pianon | pianona |
| 5 | ett bord | bordet | bord | borden |
| -are: | en lärare | läraren | lärare | lärarna |

## Adjektiv före substantiv

| | Singular | | | Plural | | |
| --- | --- | --- | --- | --- | --- | --- |
| *obestämd form* | en | dyr | bil | många | | bilar |
| | ett | dyrt | hus | | dyra | hus |
| *bestämd form* | den | dyra | bilen | de | | bilarna |
| | det | | huset | | | husen |

## Befintlighet och riktning

| ● | → ● |
| --- | --- |
| här | hit |
| där | dit |
| hemma | hem |
| borta | bort |

Eva kommer **hit**. Nu är hon **här**.
Eva går **dit**. Nu är hon **där**.
Eva går **hem**. Nu är hon **hemma**.
Eva reser **bort**. Hon är inte hemma. Hon är **borta**.

# Ett samtal

Fru Elin Bengtsson hämtar ett paket på posten. Där träffar hon en bekant, som heter Inga Olsson.

| | |
|---|---|
| *Fru Bengtsson* | Goddag, goddag, fru Olsson. |
| *Fru Olsson* | Goddag, fru Bengtsson. Hur står det till? |
| *Fru Bengtsson* | Tack, bara bra. Och fru Olsson? |
| *Fru Olsson* | Tack, det är bara bra. Hur har Eva det? |
| *Fru Bengtsson* | Tack, fint. Hon bor i Lund nu. |
| *Fru Olsson* | Javisst, hon är ju nygift. |
| *Fru Bengtsson* | Ja, det är hon. |
| *Fru Olsson* | Vad är det hon heter som gift? Är det inte Hellström? |
| *Fru Bengtsson* | Jo, det är det. ▶ |

| | |
|---|---|
| *Fru Olsson* | Arbetar hon i Lund också? |
| *Fru Bengtsson* | Ja, det gör hon. Hon är lärare på en skola där. |
| *Fru Olsson* | Är inte hennes man ingenjör? |
| *Fru Bengtsson* | Jo, det är han. Han arbetar på en maskinfirma i Lund. |
| *Fru Olsson* | Jaså. Ja, hälsa Eva så mycket! |
| *Fru Bengtsson* | Ja tack. Adjö då! |
| *Fru Olsson* | Adjö, adjö. |

## Grammatik
### Frågor med ja/nej-svar

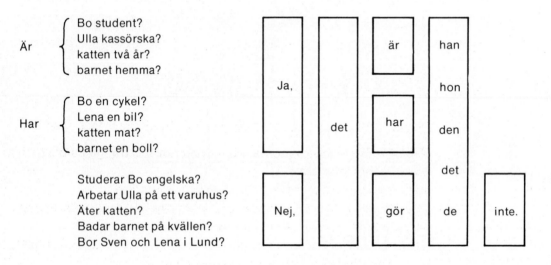

Är
- Bo student?
- Ulla kassörska?
- katten två år?
- barnet hemma?

Har
- Bo en cykel?
- Lena en bil?
- katten mat?
- barnet en boll?

Studerar Bo engelska?
Arbetar Ulla på ett varuhus?
Äter katten?
Badar barnet på kvällen?
Bor Sven och Lena i Lund?

Ja, det är han hon har den det
Nej, det gör de inte.

*Positivt svar på negativ fråga*

| | |
|---|---|
| Är Bo **inte** student? | **Jo**, det är han. |
| Har Bo **inte** någon cykel? | **Jo**, det har han. |
| Studerar Bo **inte** engelska? | **Jo**, det gör han. |

## Ord och uttryck

**ju** = som du vet.
Eva är **ju** nygift = Eva är nygift, som du vet.

# Vad ska vi göra ikväll?

Det är lördag morgon. Åke sitter vid köksbordet och talar med Eva.

*Åke*　Du Eva, vad ska vi göra ikväll, tycker du? Ska vi gå på bio?

*Eva*　Ja, det låter bra.

*Åke*　Vad ska vi se för film? En kärleksfilm, kanske?

*Eva*　Nej, vet du vad! Jag vill faktiskt se något annat, en kriminal-
film till exempel. Det är så spännande.

*Åke*　Ja, då gör vi det. Men ska vi inte gå någonstans efter bion?
Kan vi inte gå på restaurang och äta en bit mat?

*Eva*　Jo, det låter trevligt. Vi går in på någon intim liten restaurang
och äter något riktigt gott.

*Åke*　Ja, det ska bli skönt att koppla av, och så slipper man laga mat!

**Grammatik**
*Futurum*

| infinitiv | futurum med **ska** | futuralt presens |
|-----------|---------------------|------------------|
| arbeta | ska arbeta | arbetar |
| läsa | ska läsa | läser |
| bo | ska bo | bor |
| skriva | ska skriva | skriver |
| göra | ska göra | gör |
| gå | ska gå | går |

| presens | futurum | | | |
|---------|---------|--|--|--|
| nu<br>idag | om två år<br>ikväll | nästa vecka<br>i morgon | nästa månad<br>i övermorgon | nästa år<br>på torsdag<br>på fredag |
| Vad gör Åke idag?<br>Åke äter frukost nu. | Vad ska Åke göra i morgon?<br>Åke ska arbeta i morgon. | | Vad gör Åke i morgon?<br>Åke arbetar i morgon. | |

## Ord och uttryck

*vilken? — vad . . . för (en)?*
*vilket ? — vad . . . för (ett)?*
*vilka  ? — vad . . . för (några)?*

*Vad är det för något?*

Vilken bil har Erik?
Vad har Erik för bil?

Han har en Volvo.

Vilket arbete har Ulla?
Vad har Ulla för (ett) arbete?

Hon är kassörska.

Vilka möbler har Svea?
Vad har Svea för (några) möbler?

Hon har gamla möbler.

Vad är det (för något)?

Det är en bil.

Vilken bil är det?
Vad är det för (en) bil?

Det är en Volvo.

Vilket hus är det?
Vad är det för (ett) hus?

Det är en gammal skola.

Vilka barn är det?
Vad är det för (några) barn?

Det är familjen Svenssons barn.

Vilket språk talar Jasna?
Vad talar Jasna för språk?

Hon talar serbokroatiska.

Vilka språk talar Bo?
Vad talar Bo för språk?

Han talar svenska och engelska.

Vad gör Bo för något?

Han studerar engelska.

# Berit vill ta körkort

Familjen Nilsson har bil, och Berit vill ta körkort. Hon kan inte köra bil, och hon får inte köra bil, för hon har inget körkort. Nu är hon bara sjutton år, men hon får ta körkort, när hon blir arton år.

Berit kan börja i bilskolan redan nu. Där måste hon studera teori, och där får hon också öva bilkörning i en övningsbil. Berit måste öva mycket, och hon behöver gå till bilskolan en gång i veckan. Det är mycket dyrt att gå i bilskola, så Berit vill också öva med pappa i familjens bil. De får göra så, för Göran har körkort sedan länge, och han kan köra mycket bra.

## *Ord och uttryck*

teori

praktik

Berit kör bilskolans övningsbil

ett körkort

# Grammatik
## Hjälpverb

| | hjälpverb | | huvudverb | |
|---|---|---|---|---|
| Berit | **kan** | | köra | bil. |
| Berit | **vill** | | ta | körkort. |
| Berit | **får** | inte | ta | körkort, när hon är 18 år. |
| Berit | **ska** | | ta | körkort nästa år. |
| Berit | **måste** | | ha | körkort, när hon kör bil. |
| Berit | **behöver** | | gå | i bilskolan. |

*Ordföljd*

Kan
Vill
Får     Berit [ ta ] körkort?     Ja,
Ska                               Nej,  } det
Måste
Behöver

kan
vill
får     hon (inte).
ska
måste
behöver

## Infinitiv

infinitivmärke    infinitiv
    **att**       **studera**

Bo går hem för **att studera** engelska.    Det är billigt **att ha** katt.
Det är dyrt **att gå** i bilskolan.    Det är roligt **att gå** på bio.

## Ingen, inget, inga

Berit har **ingen** bil    = Berit har **inte någon** bil.
Berit har **inget** körkort    = Berit har **inte något** körkort.
Berit har **inga** pengar    = Berit har **inte några** pengar.

*I satser med **två** verb:*    Berit ska **inte** köpa **någon** bil.
    Berit ska **inte** ta **något** körkort i år.
    Berit vill **inte** ha **några** pengar.

## Samtal om väder

Ingrid Ek kommer hem från arbetet. Hon träffar Kristina Sandberg utanför huset. Solen skiner, och vädret är varmt och vackert. De stannar och pratar.

*Ingrid*    Så vackert väder vi har idag!

*Kristina*  Ja, inte sant. Men igår var det verkligen dåligt.

*Ingrid*    Ja, det regnade hela dagen. Jag arbetade inte, så jag gick och handlade. Sedan var Mats och jag inne hela dagen. Vi städade och bakade bröd och hade det ganska skönt i alla fall.

*Kristina*  Ja, det låter trevligt. Jag var i tvättstugan på eftermiddagen och tvättade. Sedan ställde jag ut blommorna på balkongen.

*Ingrid*    Jag trodde aldrig att det skulle bli vår i år.

*Kristina*  Det trodde inte jag heller, men nu ser det ut som om våren är här i alla fall.

*Ingrid*    Ja, det är verkligen underbart.

**Grammatik**
**Imperfekt**

| konjugation | infinitiv | presens | imperfekt |
|---|---|---|---|
| 1 | arbeta | arbetar | arbetade |
| 2 A | ställ/a | ställer | ställde |
| 2 B | köp/a | köper | köpte |
| 3 | tro | tror | trodde |
| 4 | skriv/a | skriver | skrev |
|  | gör/a | gör | gjorde |
|  | vara | är | var |
|  | ha | har | hade |

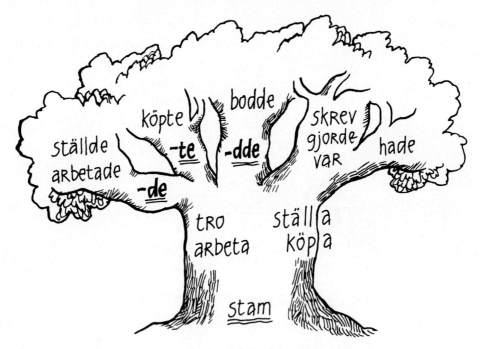

*Imperfektträdet*

| DÅ | NU |
|---|---|
| i onsdags  i torsdags  i fredags  i förrgår  igår | idag |
| för två år sedan   förra veckan   förra året | i år |
| | denna vecka |
| Vad gjorde Åke igår? Han arbetade inte. | Vad gör Åke idag? |
| Han kopplade av. | Han arbetar. |

## Ordföljd

*Verbet står sist i utropssatser*

| En sådan fin bil du | har! |
|---|---|
| Vilken      fin bil   du | har! |
| Så vackert väder vi | har! |

## Ord och uttryck

*inte . . . heller*

Åke har **ingen** cykel. Eva har **inte heller** någon cykel.
Göran talar **inte** franska. Han talar **inte** tyska **heller.**

## Ord och uttryck

Hur är vädret?

Det blåser.

Det regnar.

Det åskar.    Det blixtrar.

Det snöar.

Det fryser.

Det töar.

Det ljusnar på morgonen.

Det mörknar på kvällen.

## Dialog i hissen

| | |
|---|---|
| *Göran Nilsson* | Goddag, herr Falk. |
| *Torsten Falk* | Goddag, goddag, herr Nilsson. Hur står det till? |
| *Göran Nilsson* | Tack bra. Hur står det till själv? |
| *Torsten Falk* | Tack, bara bra. |
| *Göran Nilsson* | Så fint väder vi har idag! |
| *Torsten Falk* | Ja, det har vi verkligen. |
| *Göran Nilsson* | Ja, adjö då. |
| *Torsten Falk* | Adjö, adjö. |

## På varuhuset

Igår var det tisdag och fru Falk gick in på ett varuhus i centrum för att handla. Hon hade en lång lista i handen med saker, som hon skulle köpa.

Först gick hon till avdelningen för elektriska artiklar och köpte fyra batterier till radion. Sedan gick hon in på livsmedelsavdelningen. Där tog hon en kundvagn och gick fram till kyldisken. Hon tog upp fyra liter lättmjölk och ställde paketen i vagnen. Sedan tog hon ett halvt kilo margarin, en kartong ägg och tre deciliter grädde och lade ner varorna bredvid mjölken i kundvagnen. Vid köttdisken tog hon ett paket fläskfärs och gick sedan vidare till grönsaksdisken. Där tog hon en påse med tre kilo potatis, fyra tomater, fem lökar och en lång gurka. Sedan tittade fru Falk på blommorna, som också fanns där. Men de såg inte särskilt vackra ut, så hon köpte inte några blommor.

Det var lång kö vid kassan och fru Falk måste vänta länge. Till sist blev det hennes tur, och hon lade upp varorna på disken. Det blev 88:50. Hon lämnade kassörskan en hundralapp och fick 11:50 tillbaka. På hemvägen gick fru Falk till torget och köpte några vackra vårblommor.

# Grammatik
## Imperfekt

| infinitiv | | presens | | imperfekt |
|---|---|---|---|---|
| arbeta | | arbetar | | arbetade |
| 1 handla | -r | handlar | -de | handlade |
| lämna | | lämnar | | lämnade |
| 2A ställ a | -er | ställer | -de | ställde |
| 2B köp a | | köper | -te | köpte |
| 3 bo | -r | bor | -dde | bodde |
| lägg a | | lägger | | la, lade |
| ta | | tar | | tog |
| gå | | går | | gick |
| 4 få | | får | | fick |
| se | | ser | | såg |
| ha | | har | | hade |
| — | | måste | | måste |
| (skola) | | ska, skall | | skulle |

| I lexikon | | |
|---|---|---|
| arbeta | -r | -de |
| handla | -r | -de |
| lämna | -r | -de |
| ställ/a | -er | -de |
| köp/a | -er | -te |
| bo | -r | -dde |
| lägg/a | -er | la, lade |
| ta | -r | tog |
| gå | -r | gick |
| få | -r | fick |
| se | -r | såg |
| ha | har | hade |
| — | måste | måste |
| skola | ska, skall | skulle |

# En födelsedag

Idag är det Kalles födelsedag. Klockan är sju på morgonen. Göran, Ulla och Berit står i köket. Göran lagar choklad, Berit brer en god smörgås, och Ulla dukar en fin bricka med en kopp, ett fat, en liten vas med blommor och en stor tårta med femton ljus. På brickan ligger också ett kuvert med pengar i. Det är från mamma och pappa. Kalle fyller nämligen femton år, och det betyder att han får köra moped. Kalle arbetade i somras och sparade pengar till en moped. Nu vill Kalles föräldrar ge honom lika mycket pengar som han har på banken, så att han kan köpa en ny moped. Morfar och mormor i Borås ger Kalle en hjälm i födelsedagspresent, som de skickar i ett stort, brunt paket. Berit har ett långt, grönt paket i handen.

Nu är allting klart. De går in i Kalles rum och sjunger:

*Ja, må han leva!*
*Ja, må han leva!*
*Ja, må han leva uti hundrade år!*
*Javisst ska han leva!*
*Javisst ska han leva!*
*Javisst ska han leva uti hundrade år!*

Kalle vaknar och blinkar mot alla ljusen i tårtan.

*Kalle*  Ooh, vad är detta?
*Alla*  Grattis på födelsedagen, Kalle!

De ger Kalle födelsedagspresenterna och sätter brickan på hans säng. Kalle öppnar först det vita kuvertet med pengarna och sedan det långa, gröna paketet. Det är ett par varma handskar. Till sist öppnar han det stora, bruna paketet med hjälmen i. Han blir jätteglad för de fina presenterna och ger alla en stor kram.

## Grammatik
**Oregelbundna adjektiv före substantiv**

| | | | | | |
|---|---|---|---|---|---|
| en | röd<br>vacker<br>liten<br>bra | bil | | | bilar |
| ett | rött<br>vackert<br>litet<br>bra | hus | många | röda<br>vackra<br>små | hus |
| den | röda<br>vackra | bil**en** | de | bra | bilar**na** |
| det | lilla<br>bra | hus**et** | | | hus**en** |

## Ord och uttryck

*ett gratulationskort*

| lika . . . som |
| --- |
| Göran är **lika** lång **som** Sven.<br>Berit har **inte** lika mycket pengar **som** Kalle. |

*Hjärtliga gratulationer på födelsedagen! Farmor och farfar*

*Kalle Svensson Storgatan 12 1tr 222 38 LUND*

**Dialog 1**  *Birgitta*  Grattis på födelsedagen, Kalle!
*Kalle*  Tack ska du ha!

**Dialog 2**  *Greta*  Här är en liten present till dig från farbror Torsten och mig.
*Kalle*  Tack så mycket, tant Greta. Det var väldigt snällt!

65

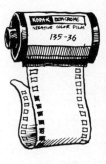

en filmrulle

# Erik fotograferar

Erik Svenssons stora hobby är fotografering. Han har en ganska fin kamera, och den har han alltid med, när han och familjen åker ut i skogen på söndagarna eller hälsar på släkten. På semestern fotograferar han också mycket. Det blir många bilder under ett år. Dem klistrar han in i stora album. Mormor blir alltid glad, när hon får foton av barnbarnen, så Erik skickar ofta sådana till henne. I albumet finns det nästan inga foton av honom själv, eftersom det är Erik, som brukar ta bilderna.

"Vi måste ta ett foto av dig också, inte bara av oss andra. Om jag får kameran, ska jag ta några bilder av er", säger Birgitta ibland. Men tyvärr blir hennes bilder inte lika bra som Eriks.

Erik lämnar sedan in filmrullarna i en fotoaffär och hämtar dem efter en vecka. Familjen tittar tillsammans med honom på fotona och kommenterar dem.

# Grammatik
## Prepositioner

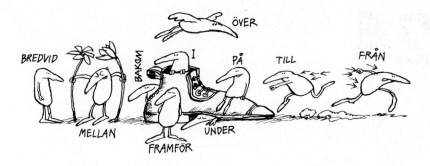

## Subjekt och objekt

| subjektsform | objektsform |
|---|---|
| jag | mig |
| du | dig |
| han | honom |
| hon | henne |
| den | den |
| det | det |
| vi | oss |
| ni | er |
| de | dem |

Åke träffar Eva.
Han träffar **henne.**

Eva talar med Åke.
Hon talar med **honom**.

Göran ser Berit och Kalle.
Han ser **dem**.

Åke ger Eva en present. Åke ger en present till Eva.
Han ger **henne** en present. Han ger en present till **henne**.

Eva får en present av Åke.
Hon får en present av **honom**.

| preposition + objektsform | |
|---|---|
| av | |
| bakom | |
| bredvid | mig |
| efter | dig |
| framför | |
| i | honom |
| med | henne |
| mellan | |
| om | den |
| på | det |
| till | |
| vid | oss |
| under | er |
| över | |
| från | dem |

## Ord och uttryck

Erik tar { en bild / ett kort / ett foto } { på / av } familjen.

67

## *Bos dag*

Bo ligger och sover i sängen.

Väckarklockan ringer och han stiger upp.

Han går ut i badrummet för att tvätta sig.

Han tar först av sig pyjamasen.

Sen duschar han en lång stund.

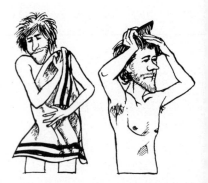

Han torkar sig på en handduk och kammar sig med en kam.

Han borstar tänderna med en tandborste och tandkräm.

Sedan bäddar han sängen och klär på sig.

Han går ut i köket, äter frukost och läser tidningen.

Klockan är mycket. Bo måste skynda sig.

Han tar på sig ytterkläderna och ger sig iväg hemifrån.

Bo går till universitetet och kommer fram några minuter över åtta.

Sedan sätter han sig i hörsalen tillsammans med många andra studenter för att lyssna på läraren. Han lär sig mycket engelska varje dag.

## Dialog

Det ringer på telefonen hemma hos Nilssons. Berit lyfter luren och svarar.

*Berit Nilsson* Nilsson.
*Kjell Åman* Hejsan Berit, det är Kjell.
*Berit Nilsson* Hej, Kjell. Det var roligt att du ringde. Hur har du det?
*Kjell Åman* Tack, det är bara bra. Och du då?
*Berit Nilsson* Bara fint. Hämtar du mig efter skolan?
*Kjell Åman* Ja, jag kommer och hämtar dig då.
*Berit Nilsson* Det var bra. Ja, hej så länge då!
*Kjell Åman* Hej, hej!

# Grammatik
## Reflexiva verb

### reflexiva verb

Erik↔Erik
Erik ser **sig** i spegeln.

Erik↔Erik
Erik tvättar **sig**.

Mamma↔mamma
Mamma tvättar **sig**.

Birgitta↔Birgitta
Birgitta klär **sig**.

Bo↔Bo
Bo lär **sig** engelska.

### icke-reflexiva verb

Erik→Olle
Erik ser **honom** i spegeln.

Erik→Olle
Erik tvättar **honom**.

Mamma→Karin
Mamma tvättar **henne**.

Birgitta→barnen
Birgitta klär **dem**.

Läraren→Bo
Läraren lär **honom** engelska.

*Infinitiv* **att tvätta sig**

| presens | | | imperfekt | | | futurum | | |
|---|---|---|---|---|---|---|---|---|
| Jag | tvättar mig | idag. | Jag | tvättade mig | igår. | Jag | ska tvätta mig | i morgon. |
| Du | tvättar dig | idag. | Du | tvättade dig | igår. | Du | ska tvätta dig | i morgon. |
| Åke | tvättar sig | idag. | Han | tvättade sig | igår. | Han | ska tvätta sig | i morgon. |
| Eva | tvättar sig | idag. | Hon | tvättade sig | igår. | Hon | ska tvätta sig | i morgon. |
| Katten | tvättar sig | idag. | Den | tvättade sig | igår. | Den | ska tvätta sig | i morgon. |
| Barnet | tvättar sig | idag. | Det | tvättade sig | igår. | Det | ska tvätta sig | i morgon. |
| Vi | tvättar oss | idag. | Vi | tvättade oss | igår. | Vi | ska tvätta oss | i morgon. |
| Ni | tvättar er | idag. | Ni | tvättade er | igår. | Ni | ska tvätta er | i morgon. |
| De | tvättar sig | idag. | De | tvättade sig | igår. | De | ska tvätta sig | i morgon. |

*Ordföljd*

Åke tvättar sig inte idag.     Idag tvättar Åke sig inte.

Tvättar Åke sig inte idag?     I dag ska Åke inte tvätta sig.

## En försäljare

Det ringer på Ingrid Eks dörr. Ingrid öppnar dörren. Utanför står en ung man — en försäljare.

| | |
|---|---|
| *Försäljaren* | Goddag, damen! Jag kommer från Dagens Bok-förlaget. Jag har ett fantastiskt erbjudande till er. Köp den här boken om "Världen idag"! |
| *Ingrid* | Tack, men jag . . . |
| *Försäljaren* | Beställ den nu och vänta inte! Nu kostar den bara 185 kronor, men nästa månad stiger priset till 230 kronor. Tjäna 45 kronor på att köpa den nu! |
| *Ingrid* | Snälla ni, tala inte så högt! Jag har ett litet barn, som ligger och sover. |
| *Försäljaren* | Förlåt mig! Men säg att ni köper den! En ung dam som ni måste ha en sådan vacker bok. Det är en prydnad för ert hem! |
| *Ingrid* | Nej tack. Jag är inte intresserad. Adjö. |
| *Försäljaren* | Men snälla damen, tänk . . . |

Ingrid stänger dörren.

Stanna!

Stanna inte!

Parkera inte här!   Gå och cykla här!

Kör till höger!   Cykla inte här!

71

**UPP**

Åk upp här!

**EJ UPP**

Åk inte upp här!

**INGÅNG**

Gå in här!

**NED**

Åk ner här!

**EJ NED**

Åk inte ner här!
(ned = ner!)

**EJ INGÅNG**

Gå inte in här!

**UTGÅNG**

Gå ut här!

**EJ UTGÅNG**

Gå inte ut här!

## Grammatik
### Imperativ

| konjugation | infinitiv | imperativ |
|---|---|---|
| 1 | att tala | Tala! |
| 2 | att stäng/a | Stäng dörren! |
| 3 | att bo | Bo hos oss! |
| 4 | att skriv/a<br>att gör/a<br>att se | Skriv ett brev!<br>Gör det!<br>Se filmen! |
| *reflexiva verb* | att tvätta sig | Tvätta dig!          Tvätta er! |

# Skiljetecken

```
.   punkt
,   komma
?   frågetecken
-   bindestreck
:   kolon
''  ''  citationstecken
!   utropstecken
```

# Ord och uttryck

Stäng dörren!
Var snäll och stäng dörren!
Var vänlig och stäng dörren!
Skulle du/ni vilja stänga dörren!
Får jag be dig/er stänga dörren!

# Dialog 1

*En pojke*     Mamma, vad betyder ''stopp?''
*Mamman*       Det betyder att du ska stanna.

# Dialog 2

Torsten Falk ringer efter en taxi.

*En dam*         Taxi. Var god dröj! . . . . . .
                 Taxi.
*Torsten Falk*   Kan jag få en bil till Storgatan 12?
*Damen*          Ja, hur var namnet?
*Torsten Falk*   Falk.
*Damen*          Den kommer.

# I trappuppgången

Husets barn sitter i trappuppgången och pratar och äter godis. De kastar godispapperet i trappan. De har tråkigt och vet inte vad de ska göra. Då kommer Torsten Falk in genom porten.

| | |
|---|---|
| Torsten Falk | Goddag på er, barn! |
| Barnen | Goddag, farbror Torsten! |
| Torsten Falk | Varför sitter ni här inne, när det är så vackert väder ute? |
| Olle | Vi vet inte, vad vi ska göra. |
| Torsten Falk | Men det vet jag! Ni ska städa efter er och gå ut i friska luften. Det här är ingen lekplats. Olle, plocka upp alla papper! Och ni andra, hjälp honom! |
| Olle | Hjälp mig då! |
| Anna och Berit | Det gör vi ju! |
| Torsten Falk | Bråka inte nu! Se så, ut med er! |
| Olle | Gubbe! |
| Kalle | Akta dig, han kan ju höra dig! |
| Olle | Det bryr jag mig inte om! |

## Dialog

| | |
|---|---|
| Torsten Falk | Det är ingen ordning på ungarna nuförtiden. |
| Svea Lindberg | Nej, tacka vet jag förr i världen. |
| Torsten Falk | Ja, då var det ordning och reda. |

74

# Grammatik
## Frågebisats

*Ordföljden är rak i frågebisats.*

direkt tal

| Åke frågar: | "Vad gör Eva?" |
| Åke frågar: | "Vad ska jag göra?" |

huvudsats    huvudsats

indirekt tal

| Åke frågar | vad Eva gör. |
| Åke frågar | vad han ska göra. |

huvudsats    bisats

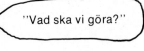

"Vad ska vi göra?"

Barnen vet inte vad de ska göra.

## Platsadverb

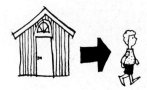

| hem | hemma | hemifrån |

| **Vart** går han? | **Var** är han? | **Varifrån** kommer han? |

| Han kommer **hem**. | Han är **hemma**. | Han kommer **hemifrån**. |
| Han kommer **hit**. | Han är **här**. | Han går **härifrån**. |
| Han kör **dit**. | Han sitter **där**. | Han kör **därifrån**. |
| Hon går **ut**. | Hon är **ute**. | Hon kommer **utifrån**. |
| Hon kommer **in**. | Hon sitter **inne**. | Hon kommer **inifrån**. |
| De går **upp**. | De är där **uppe**. | De kommer **uppifrån**. |
| De springer **ner**. | De är där **nere**. | De kommer **nerifrån**. |
| Han reser **bort**. | Han är **borta**. | Han kommer långt **bortifrån** |

ett djur i bur

Måns ligger i soffan och sover

Mamma går ut med Karo

# Djur

I huset på Storgatan 12 finns det tre djur: en fågel, en katt och en hund. Svea Lindberg, som är änka och bor på fjärde våningen, har en liten fågel i bur. Fågeln heter Putte. Svea blir glad, när hon kommer hem, och Putte sjunger för henne. Hon känner sig inte så ensam i hans sällskap. ''Vill du ha lite mat, min vän?'' frågar Svea och ger Putte lite brödsmulor. ''Det är så vackert väder idag'', säger hon och öppnar fönstret, så att Putte ska få lite frisk luft.

Kalle Nilssons katt Måns ligger för det mesta i soffan i vardagsrummet och sover. Ibland brukar Måns gå ut, men det vill han inte göra, när det regnar och blåser.

Tidigt på morgonen väcker Svenssons hund Karo familjen och vill gå ut. ''Jag vill gå ut med Karo'', säger Karin. Men det får hon inte, för hon är ju bara två år. Ingen annan i familjen vill stiga upp så tidigt och gå ut med hunden. ''Det är din tur att gå ut idag'', säger alla till varandra. Till slut stiger mamma upp och går ut med Karo. Någon måste ju göra det!

En fågel äter brödsmulor.

Det regnar.

Det blåser.

# Grammatik
## Ordföljd

| 1 | 2<br>*verb* | 3 | 4 |
|---|---|---|---|
| Det | står | en bil | på gatan. |
| Det | finns | ett djur | i rummet. |

| 1 | 2<br>*verb* | 3 | 4 |
|---|---|---|---|
| På gatan | står | det | en bil. |
| I rummet | finns | det | ett djur. |

| 1 | 2<br>*verb* | 3 |
|---|---|---|
| Hon | frågar: | "Vill du ha mat?" |
| Han | säger: | "Det är vackert väder." |

| 1 | 2<br>*verb* | 3 |
|---|---|---|
| "Vill du ha mat?", | frågar | hon. |
| "Det är vackert väder", | säger | han. |

## Satsbyggnad: konjunktionen "så att . . ."

| *huvudsats* | *huvudsats* |
|---|---|
| Svea städar våningen. | Den blir ren. |
| Bo studerar mycket. | Han klarar examen. |

| *huvudsats* | *konjunktion* | *bisats* |
|---|---|---|
| Svea städar våningen, | **så att** | den blir ren. |
| Bo studerar mycket, | **så att** | han klarar examen. |

## Oregelbundna substantiv

| en fågel | fågeln | fåglar | fåglarna |
|---|---|---|---|
| ett fönster | fönstret | fönster | fönstren |
| ett väder | vädret | väder | vädren |

# Ord och uttryck

Han är flitig som en myra.
(Han arbetar alltid.)

Han är lat som en oxe.
(Han tycker inte om att arbeta.)

Han är dum som en åsna.
(Han är inte särskilt intelligent.)

De lever som hund och katt.
(De bråkar alltid med varandra.)

Det är ett riktigt hundväder idag.
(Vädret är hemskt.)

Katten också! Nu missar jag bussen!
(En sådan otur! Nu kommer jag för sent till bussen!)

## *Skolan har börjat*

Skolan har just börjat efter sommarlovet. Olles klass sitter i klass-rummet och talar om vad de har gjort under sommarlovet.

*Läraren*  Nu ska ni skriva uppsats, om vad ni har gjort i sommar. Jag ska skriva några frågor på tavlan för att hjälpa er.

Olle sitter med ett vitt, tomt papper framför sig. "Vad har jag egentligen gjort i sommar?", tänker han för sig själv. De andra har redan börjat skriva. Olle bestämmer sig för att svara på frågorna, som står på tavlan. Han skriver "*MIN SOMMAR*" överst på papperet. Sedan fortsätter han.

*Vädret har varit ganska ostadigt. Det har regnat mycket, och sär-skilt mycket regnade det, när jag var med mina föräldrar på landet i juli. Det har blåst mycket i sommar. Det blåste hårt, när jag och några kamrater skulle paddla kanot i början av augusti.*

Olle läser igenom vad han har skrivit. "Så tråkigt det låter", tänker han. Olle fortsätter: . . . *Men sedan blev det vackert väder. Solen sken i tre dagar. Det har varit kallt i vattnet under hela sommaren, så jag har inte badat mycket. Jag badade en gång i juni, två gånger i juli och fem gånger i augusti. Jag har inte fiskat . . .*

Klockan ringer, och lektionen är slut. Olle blir glad och lämnar fram uppsatsen till läraren. Men läraren blir inte så glad. "Jag har inte hunnit skriva mera", säger Olle, "men jag ska skriva mera en annan gång".

# Grammatik
### Verbens konjugationer: perfekt

| konjugation | infinitiv | presens | | imperfekt | | perfekt |
|---|---|---|---|---|---|---|
| 1 | laga | -r | lagar | -de | lagade | -t | har lagat |
| 2 A | stänga | -er | stänger | -de | stängde | -t | har stängt |
| 2 B | köpa | -er | köper | -te | köpte | -t | har köpt |
| 3 | bo | -r | bor | -dde | bodde | -tt | har bott |
| 4 | skriva | | skriver | | skrev | -it | har skrivit |
| | göra | | gör | | gjorde | -t | har gjort |
| | se | | ser | | såg | -tt | har sett |

har + supinum = perfekt

lagat
stängt
köpt
bott
skrivit
gjort
sett

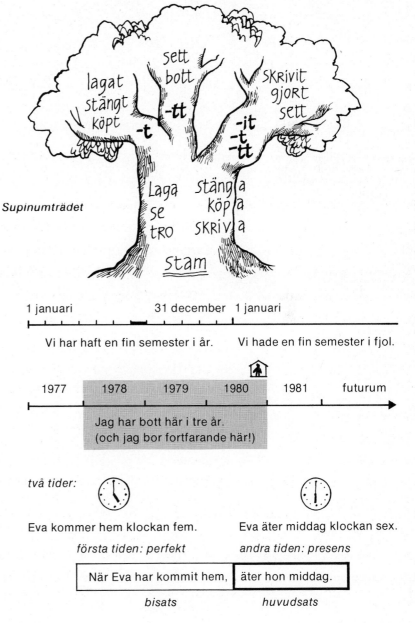

Supinumträdet

Perfektsymbolen

00.00    20.00

Jag har läst tidningen idag.

födelse
Hon har ofta varit utomlands.

1 januari                31 december  1 januari

Vi har haft en fin semester i år.    Vi hade en fin semester i fjol.

1977    1978    1979    1980    1981    futurum

Jag har bott här i tre år.
(och jag bor fortfarande här!)

två tider:

Eva kommer hem klockan fem.    Eva äter middag klockan sex.

*första tiden: perfekt*    *andra tiden: presens*

| När Eva har kommit hem, | äter hon middag. |
|---|---|

*bisats*    *huvudsats*

79

|  | *perfekt*<br>FÖRE NU →    | *presens*<br>NU (RESULTAT) |
|---|---|---|
|  | Erik har lagat bilen. | Bilen går bra nu. |
|  | Anna har stängt dörren. | Dörren är stängd. |
|  | Greta har köpt middagsmat. | Nu kan hon laga mat. |
|  | Birgitta har sytt en klänning. | Hon har en fin klänning nu. |
|  | Eva har varit i Paris. | Hon känner Paris ganska bra. |

# Bo och hans grannar

Bo har många intressen. Han spelar trumpet i en orkester, han är medlem i en politisk förening, och han simmar ofta i en av stadens simhallar.

Hans intressen är alltså musik, politik och simning. Ibland spelar Bo trumpet i lägenheten. Hans grannar hör musiken, som irriterar deras öron och nerver. Efter en stund brukar Svea Lindberg ringa på Bos dörr.

Svea  Snälla Bo, nu måste du sluta med ditt oljud. Mitt huvud värker så jag har varit tvungen att ta en huvudvärkstablett.

Bo  Förlåt, jag är ledsen att jag har stört dig. Det var inte meningen. Jag trodde inte du var hemma.

Svea  Kan du inte gå hem till någon av dina kamrater och öva där?

Bo  Mina kamrater kan inte heller spela hemma. Deras grannar tycker inte heller om trumpetmusik, så vi är tvungna att ta våra instrument och gå och öva någon annanstans.

Svea  Ja, ni måste faktiskt tänka lite på era grannar och inte bara på er själva!

# Grammatik
## Satsbyggnad

*Så . . . att*
Sveas huvud värker **så** mycket **att** hon måste äta medicin.
Bo spelar trumpet **så** högt **att** alla grannarna hör det.

*Också/både . . . och*
*Inte heller/varken . . . eller*

Katten **sover**. Musen sover **också**.
**Både** katten **och** musen sover.

Katten sover **inte**. Musen sover **inte heller**.
**Varken** katten **eller** musen sover.

## Oregelbundna substantiv

    ett öga, ögat          två ögon    ögonen

    ett öra, örat      två öron    öronen

# Eva och Åke

Eva stiger alltid upp klockan sju. Hon lagar nästan alltid frukost till Åke, som sällan stiger upp före halv åtta. Eva hinner nästan aldrig läsa tidningen, innan hon går till arbetet. Men Åke har för det mesta tid att titta igenom den och dricka en kopp kaffe, för han börjar inte förrän klockan halv nio.

Eva kommer vanligen hem före Åke, för hon slutar ofta före fyra, och Åke arbetar alltid till klockan halv fem.

Klockan sex äter Eva och Åke middag. Sedan sitter de i vardagsrummet och tittar på TV. Då dricker de alltid en kopp kaffe. Liksom så många andra svenskar tycker de bäst om hemmakvällar, men ibland kan det hända att de tar en liten promenad eller gör ett biobesök, innan de går och lägger sig.

# Grammatik
## Placering av satsadverb

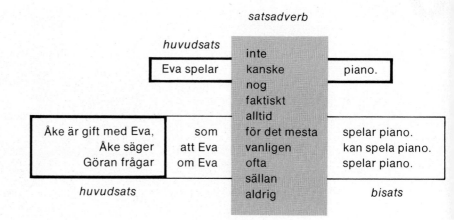

|  | satsadverb |  |
| --- | --- | --- |
| huvudsats |  |  |
| Eva spelar | inte<br>kanske<br>nog<br>faktiskt | piano. |

| Åke är gift med Eva, | som | alltid<br>för det mesta | spelar piano. |
| --- | --- | --- | --- |
| Åke säger | att Eva | vanligen | kan spela piano. |
| Göran frågar | om Eva | ofta<br>sällan<br>aldrig | spelar piano. |
| huvudsats |  |  | bisats |

## Satsbyggnad

| Eva lagar frukost | innan | hon går till arbetet. |
| --- | --- | --- |
| huvudsats | konjunktion | bisats |

# Ord och uttryck

*före — efter*

före klockan fyra — efter klockan fyra

Bilen kör före bussen.    Bilen kör efter bussen.

en kaffekopp    en kopp kaffe

# Eva lagar Janssons frestelse

Ibland får Eva och Åke Hellström oväntade gäster. Då gäller det att snabbt kunna laga något gott, som de har alla ingredienser till hemma. Eva tycker om att laga mat, och en av hennes specialiteter är ''Janssons frestelse''. Det är en slags ansjovisgratäng, som är mycket populär i svenska hem, särskilt sent på natten — eller tidigt på morgonen! — på stora fester. Eva har receptet på gratängen i en kokbok, men hon behöver inte titta efter, vad där står, för hon brukar laga Janssons frestelse så ofta, att hon kan receptet utantill.

**Recept på Janssons frestelse**

*INGREDIENSER:*
En burk ansjovisfiléer
med ungefär 20 ansjovisar

2 stora, gula lökar
3 dl grädde
500 g potatis (ca 6 stycken)

Sätt ugnen på 225 grader!
Skala potatisen och skär den i smala strimlor. Skala löken, skär den i tunna skivor och stek den hastigt. Lägg potatis nederst i en smord form och varva sedan ansjovis, lök och potatis. Lägg potatis överst. Häll över hälften av grädden och lägg sedan på lite margarin. Låt formen stå i 225 graders värme i ugnen en halvtimme. Häll sedan resten av grädden över formen och låt den stå i en halvtimme till.
Servera med sallad, smör, bröd och ost!

# Grammatik
### Satsbyggnad: ordföljd i frågebisats

*Ordföljden är **rak** i frågebisats.*

huvudsats                huvudsats      bisats

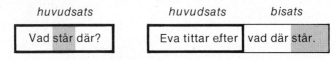

| Vad står där? | | Eva tittar efter | vad där står. |

# Ord och uttryck

| | | |
|---|---|---|
| (en) *volym:* | en liter (l) = tio deciliter (dl) = hundra centiliter (cl) | |
| (en) *vikt* | ett kilo (kg) = tio hekto (hg) = tusen gram (g); ett ton = tusen kilo | |
| (en) *längd:* | en meter (m) = tio decimeter (dm) = hundra centimeter (cm) | |
| | en mil = tio kilometer (km) = tiotusen meter (m) | |

(en) frukost
(ett) mellanmål
(en) lunch
(ett) mellanmål       } måltider     en måltid { en förrätt (soppa, smörgås)
(en) middag                                  en varmrätt eller huvudrätt
(en) kvällsmat                              en efterrätt eller dessert
(en) vickning (vid fest på natten)

## Dialog 1

| Erik | Vad får vi till middag idag? |
|---|---|
| Birgitta | Köttbullar och potatismos. |
| Erik | Och vad blir det till efterrätt? |
| Birgitta | Ni får chokladpudding med vispgrädde. |
| Erik | Men ska inte du också äta dessert? |
| Birgitta | Nej, jag måste banta. |

## Dialog 2

| Svea | Vill du ha en kopp kaffe? |
|---|---|
| Eva | Ja tack, det skulle smaka gott. |

## Dialog 3

| Gästen | Tack för maten! Det smakade verkligen härligt! |
|---|---|
| Värdinnan | Det var roligt att höra! |

# En intressant bok

Monika Holm lånar ofta böcker och grammofonskivor av Bo Lundin. Ibland sitter de i Bos vardagsrum och lyssnar på musik, dricker vin och pratar om böcker.

| | |
|---|---|
| Monika | Det är musik av Chopin, inte sant? |
| Bo | Ja, det är det. Tycker du om den? |
| Monika | Ja, det gör jag verkligen — den är så romantisk! |
| Bo | Får jag hälla upp lite vin till? |
| Monika | Ja tack, gärna. Det var ett väldigt gott vin! |
| Bo | Jag läser en intressant bok just nu. |
| Monika | Jaså, vad heter den? |
| Bo | Den heter "Röde Orm" och handlar om vikingarna i 900-talets Sverige. |
| Monika | Är det en roman eller en historisk bok? |
| Bo | Det är en roman, som berättar om en svensk viking. Han seglar västerut mot England och är med om många farliga och spännande äventyr. |
| Monika | Det låter som en verklig äventyrsroman. |
| Bo | Det är det också. Boken är mycket realistisk men också humoristisk. |
| Monika | Den boken skulle jag vilja få låna, när du har läst ut den. |
| Bo | Naturligtvis får du det. Jag har bara några sidor kvar, och jag läser säkert ut hela boken i kväll. |

# Grammatik
## Futuralt perfekt

| NU | SEDAN 1 | SEDAN 2 |
|---|---|---|
| presens | futuralt perfekt | futurum |

Bo läser romanen nu.     När Bo har läst ut romanen, ska Monica låna den.


## Adjektivens böjning

*Regelbundna adjektiv*

stor     stort     stora


*Oregelbundna adjektiv*

| enkel | enkelt | enkla | **-el**: dubbel |
|---|---|---|---|
| mogen | moget | mogna | **-en**: nyfiken   vuxen   välkommen |
| vacker | vackert | vackra | **-er**: mager |
| gammal | gammalt | gamla | |
| liten | litet | lilla, små | |
| blå | blått | blåa | fri   grå   ny |
| röd | rött | röda | bred   död   glad   sned |
| | | | |
| målad | målat | målade | *Verbaladjektiv på* - **ad**: lagad |
| hård | hårt | hårda | blond   förkyld   känd   nöjd   rund   skild   såld   värd |
| | | | |
| kort = | kort | korta | *Adjektiv på konsonant* + -**t**: gift   lätt   tyst |
| | | | |
| bra = | bra = | bra | *Adjektiv på* -**a**, -**e**: extra   främmande |


## Ord och uttryck

## Dialog

*Erik*     Läser du mycket?
*Göran*     Javisst. Men det blir för det mesta deckare.
*Erik*     Så du läser inte memoarer?
*Göran*     Usch nej!

# BIBLIOTEK

SKÖNLITTERATUR
H

LITTERATURHISTORIA
G

FACKLITTERATUR

SPRÅKVETENSKAP
F

TEKNIK, INDUSTRI OCH KOMMUNIKATIONER
P

RELIGION
C

KONST, TEATER, FILM
I

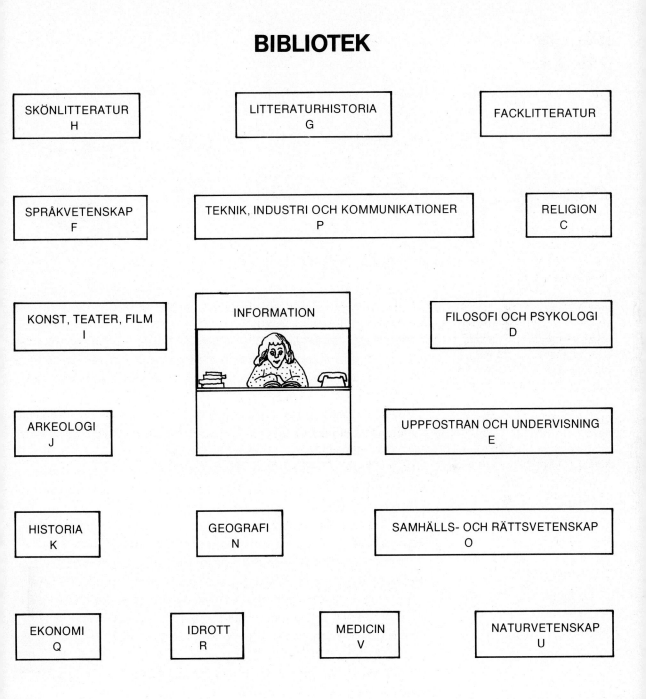

INFORMATION

FILOSOFI OCH PSYKOLOGI
D

ARKEOLOGI
J

UPPFOSTRAN OCH UNDERVISNING
E

HISTORIA
K

GEOGRAFI
N

SAMHÄLLS- OCH RÄTTSVETENSKAP
O

EKONOMI
Q

IDROTT
R

MEDICIN
V

NATURVETENSKAP
U

EN OSTSMÖRGÅS

LÄTTMJÖLK    FILMJÖLK

GRÖT

## *Frukostvanor*

EN TEKANNA    EN KOPP TE

EN SMÖRKNIV

EN SMÖRBYTTA

ETT HÅRDKOKT ÄGG

ETT LÖSKOKT ÄGG

EN ÄGGKOPP

Det är morgon i huset på Storgatan 12. I de olika våningarna sitter människorna och äter frukost.

Högst upp i huset sitter Bo Lundin vid bordet i köket och dricker kaffe. Han är nästan alltid sömnig på morgnarna, så han dricker många koppar kaffe för att vakna riktigt, men han äter nästan aldrig någonting.

Svea Lindberg i lägenheten bredvid är inte hemma. Hon har redan börjat sitt städarbete på banken. Innan hon går dit, brukar hon äta en stor tallrik gröt.

Ingrid Ek och hennes lille son Mats i våningen under äter inte någon frukost hemma. Ingrid dricker kaffe och äter en bulle på arbetet, och Mats äter frukost på daghemmet.

Kristina och Monika, som bor på samma våning som Ingrid och Mats, dricker en kopp te, innan de rusar till bussen.

Torsten och Greta Falk äter en ordentlig frukost varje morgon. Den består av te, juice, ett kokt ägg, en tallrik gröt och en ostsmörgås.

Åke och Eva Hellström på samma våning äter yoghurt och en knäckebrödssmörgås, och sedan dricker de en kopp kaffe.

Familjen Nilsson äter en tallrik filmjölk, en smörgås och dricker juice och kaffe.

Sven Berg och Lena Nyman dricker kaffe och äter smörgås med något pålägg när de är hemma.

Familjen Svensson äter flingor med mjölk. Föräldrarna dricker te och barnen choklad.

Många svenskar äter ingenting på morgnarna — för de hinner inte!

Många svenskar äter ingenting på kvällarna — för de försöker banta!

# Grammatik

## Satsbyggnad: ordföljd i huvudsats efter bisats

| huvudsats | bisats |
|---|---|
| Svea äter, | innan hon går till arbetet. |

| bisats | huvudsats |
|---|---|
| Innan Svea går till arbetet, | äter hon. |

# Ord och uttryck

LÄGENHETEN ÖVER

LÄGENHETEN BREDVID

LÄGENHETEN UNDER

HELLSTRÖMS BOR I SAMMA HUS SOM BO

# Dialog

– Vad brukar du äta till frukost?
– En smörgås och en kopp te. Och du då?
– Jag äter aldrig frukost!

## Lördag hos Hellströms

Eva och Åke Hellström har ganska långa arbetsdagar, så de måste organisera hemarbetet för att få någon fritid också. De brukar städa, tvätta och handla på lördagarna. De har delat upp hemarbetet så här:

Eva byter lakan i sängarna, medan Åke städar i badrummet. Åke går ner med tvätten i tvättstugan, medan Eva dammsuger i sovrummet. Medan Eva diskar och torkar golvet i köket, dammsuger Åke i vardagsrummet.

När de har städat våningen, lagar Åke kaffe, medan Eva hänger upp tvätten till tork. De dricker alltid en kopp kaffe och kopplar av lite, innan de kör till det stora varuhuset utanför Lund och handlar mat. De skriver också en lista på vad de ska köpa, innan de ger sig av. När de har handlat, äter de lunch och läser tidningen.

Efter lunchen vilar de en stund, och sedan brukar de köra ut i skogen och springa en runda för att få frisk luft och motion. När de har kommit tillbaka hem, duschar de och byter om, innan de går på bio eller på någon fest hos goda vänner — om de orkar.

# Grammatik
*Prepositioner: före—under—efter*

| Bilen kör **före** bussen | Katten springer **under** bussen. | Cykeln kör **efter** bussen. |

Matlagning klockan fem.

Middag klockan sex.

Disk klockan sju.

Hon lagar mat **före** middagen.

Hon lyssnar på radio **under** middagen.

Hon diskar **efter** middagen.

*Satsbyggnad: Konjunktioner: innan—medan—när*

 **OBSERVERA** *ordföljden!*

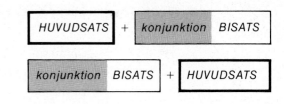

Hon lagar mat, **innan** hon äter.

**Innan** hon äter, lagar hon mat.

Hon diskar, **när** hon har ätit.

**När** hon har ätit, diskar hon.

Hon lyssnar på radio, **medan** hon äter.

**Medan** hon äter, lyssnar hon på radio.

# I valtider

Det är i början av september och snart val i Sverige. Ingrid Ek är ute och promenerar med Mats, som är sex år och håller på att lära sig läsa. Det finns många affischer på gator och torg, och Mats försöker läsa vad det står med stora bokstäver på dem. Han läser: "Renare luft!" "Tystare trafik!" "Flera barndaghem!" "Längre semester!"
Mats förstår inte allt, och han frågar mamma.

Mats     "Lägre skatter" — vad är det, mamma?

Ingrid     Det betyder att jag ska få mera pengar kvar av min lön.

Mats     "Tryggare ålderdom" — vad är ålderdom?

Ingrid     Det är den tiden, när man är gammal. Alla människor blir ju äldre och äldre. Men kom nu, Mats! Vi måste gå hem nu!

Mats     Men "högre levnadsstandard" — vad är det, mamma?

Ingrid     Det betyder att vi ska få det bättre.

Mats     Får jag en ny cykel då?

Ingrid     Kanske det. Vi får se. Men kom nu!

Mats     Titta på den där roliga gubben! Vem är det?

Ingrid     Det är ingen rolig gubbe, det är en politiker.

Mats     Men han har ju mustasch och pipa och glasögon och en cowboyhatt! Jag tycker att han ser rolig ut. Vad är en poliker, mamma?

Ingrid     När vi kommer hem, ska jag berätta vad en politiker är.

# Grammatik

## Adjektivens komparation

Stolen är **dyr**.     Tavlan är **dyrare** än stolen.     Soffan är **dyrast**.

|  | positiv | komparativ | superlativ |
|---|---|---|---|
| **Regelbunden komparation** | | | |
| | dyr | dy**rare** | dy**rast** |
| adjektiv på -**el**: | enkel | enk**lare** | enk**last** |
| adjektiv på -**en**: | mogen | mog**nare** | mog**nast** |
| adjektiv på -**er**: | vacker | vack**rare** | vack**rast** |
| **Oregelbunden komparation** | | | |
| | hög | hög**re** | hög**st** |
| | stor | stör**re** | stör**st** |
| | liten | mind**re** | min**st** |
| | tung | tyng**re** | tyng**st** |
| | ung | yng**re** | yng**st** |
| | låg | läg**re** | läg**st** |
| | lång | läng**re** | läng**st** |
| | trång | träng**re** | träng**st** |
| | dålig | säm**re** | säm**st** |
| | bra | bätt**re** | bä**st** |
| | gammal | äld**re** | äld**st** |
| | många | fle**ra** | fle**st** |
| | få | fär**re** | (inga) |

# Ord och uttryck

> se *(adjektiv)* ut:
>
> Eva ser pigg ut.
> Barnet såg sjukt ut.
> Bilarna ser fina ut.

## Ett bra köp

Åke Hellström hämtar Eva en fredagseftermiddag utanför skolan, där hon arbetar. De ska gå ut och handla och titta på mattor. De behöver en ny matta till vardagsrummet. Mattan som de har där hade Eva med sig till Lund, när hon flyttade hemifrån.

De har en grön soffa och två bruna fåtöljer i vardagsrummet, så de vill ha en matta i rött eller gulbrunt, som passar till möblerna. Åke och Eva går in på ett stort varuhus. De går direkt till mattavdelningen, där det finns många mattor i olika färger och mönster. Till slut väljer de mellan tre mattor: en gulbrun, en mörkgul och en rödmönstrad matta.

Den rödmönstrade mattan är dyrast och minst, och den kostar 4 500 kronor. Den gulbruna mattan är störst och kostar 1 380 kronor. Den mörkgula mattan är medelstor och billigast. Den kostar bara 790 kronor. Eva tycker att den röda mattan är vackrast, och Åke tycker att den mörkgula mattan är fulast.

De diskuterar priser, färger, kvaliteter och storlekar en lång stund, innan de bestämmer sig för den gulbruna mattan. Den är inte vackrast men störst och av bra kvalitet till ett lagom pris. De är nöjda med köpet och skyndar sig hem för att lägga mattan på golvet och se, om den passar så bra som de tror.

# Grammatik
## Adjektiv efter substantiv

|  | positiv | komparativ | superlativ |
|---|---|---|---|
| en bil<br>min bil<br>denna bil<br>bilen | **dyr** | | |
| ett hus<br>mitt hus<br>detta hus<br>huset är | **dyrt** | **dyrare** | **dyrast** |
| bilar<br>mina bilar<br>dessa bilar<br>bilarna | **dyra** | | |

# Ord och uttryck

STOCKHOLM
650 000
invånare
Stockholm är störst.

GÖTEBORG
430 000
invånare
Göteborg är **näst** störst.

MALMÖ
235 000
invånare
Malmö är **tredje** störst.

TV:n kostar 1 000:— kronor.
Jag har bara 800:— kronor.
TV:n är **för** dyr.

TV:n är **för** dyr **för** mig, **för** jag har bara 800:— kronor.

*adverb    preposition    konjunktion*

97

# Dialoger

## Ett dåligt köp

Svea Lindberg var på ett varuhus igår och köpte en väska. När hon kom hem, upptäckte hon att det var något fel på väskans lås, så hon gick tillbaka till varuhuset nästa dag.

Svea     Det är något fel på den här väskan, som jag köpte igår. Det går inte att stänga den riktigt.

Expediten     Jaha. Har ni kvar kvittot?

Svea     Ja, varsågod, här är det.

Expediten     Tack. Vill ni ha pengarna tillbaka, eller vill ni byta väskan?

Svea     Jag vill ha pengarna tillbaka.

## Ett annat dåligt köp

En lördagseftermiddag går Mats till kiosken för att köpa godis.

Mats     Jag ska ha en röd slickepinne!

Expediten     Varsågod.

Mats kastar godispapperet på marken och börjar slicka. Men efter en stund går han tillbaka till kiosken.

Mats     Jag ska ha en grön slickepinne i stället, för den här smakar inte gott!

## *Juli – en semestermånad*

Det är en dag i augusti strax efter semestern. Monika Holm och Kristina Sandberg sitter i kontorets lunchrum och pratar med arbetskamraterna om semestern och semestervädret.

| | |
|---|---|
| *En kvinna* | Varför har vi semester i juli egentligen? Juli brukar ha det sämsta vädret på hela sommaren. Det är absolut den regnigaste och kallaste semestermånaden. |
| *En man* | Jaa. Det bästa vädret på hela sommaren hade vi ju i juni. |
| *Monika* | Jag började min semester sista veckan i juni, och det var den varmaste och soligaste veckan på hela semestern. Nästa år ska jag ta hela min ledighet i juni. Det är det mest praktiska sättet att få mycket sol. |
| *En kvinna* | Det ska jag också. Det är sista gången, som jag har semester i juli. |
| *En man* | Jag tror att jag ska ta semester i augusti nästa år, om det går. Augusti brukar vara en fin månad. |
| *Kristina* | Ja, vi får väl se hur den här månaden blir i år. Vädret är ju fint nu. Det är inte särskilt roligt att sitta inne och arbeta, när solen skiner, och semestern är slut. |

# Dialog

*Kalle*  Mamma!
*Ulla*  Ja, vad är det?
*Kalle*  Vet du vad världens längsta flod heter?
*Ulla*  Nej, minsann. Det vet jag faktiskt inte. Vet du det?
*Kalle*  Ja, den heter Nilen.


# Grammatik
## Adjektivets form i superlativ

*Efter den, det, de, genitiv och possessivpronomen får adjektiven ändelsen* -**aste**.
*De oregelbundna adjektiven får ändelsen* -**sta**.

| singular | | |
|---|---|---|
| den<br>det | fin**aste**<br>stör**sta** | bil**en**<br>hus**et** |
| Evas<br>min<br>mitt | | bil<br>bil<br>hus |

| plural | | |
|---|---|---|
| de | fin**aste**<br>stör**sta** | bil**arna**<br>hus**en** |
| Evas<br>mina | | bilar<br>hus |

| *regelbundna*  -ast + -e = -aste | *oregelbundna*  -st + - a = -sta | |
|---|---|---|
| fin**aste** | hög**sta** | läng**sta** |
| dyr**aste** | stör**sta** | träng**sta** |
| . | min**sta** | säm**sta** |
| . | tyng**sta** | bä**sta** |
| . | yng**sta** | äld**sta** |
| . | läg**sta** | fle**sta** |

Hon har två bröder. Hennes **äldsta** bror heter Anders. Jag ska åka på semester med min **bästa** vän Nisse.

## Komparation med "mer(a)" och "mest"

*Adjektiv på -e och -isk, verbaladjektiv och långa adjektiv kompareras med* **mera** och **mest**.

| *positiv* | *komparativ* | *superlativ* |
|---|---|---|
| praktisk<br>förtjusande<br>intresserad | mer(a)  praktisk<br>mer(a)  förtjusande<br>mer(a)  intresserad | mest  praktisk<br>mest  förtjusande<br>mest  intresserad |

# 39

*en sopborste*

*en mopp*

*en dammsugare*

*en hink*

*en trasa*

*ett paket tvättmedel*

## Efter arbetet

Svea Lindberg är städerska eller lokalvårdare, som det också heter. Hon arbetar från klockan sex till klockan nio på morgonen. Då öppnar banken, där hon arbetar. Efter arbetet är Svea trött och cyklar hem. Hon går direkt in i badrummet och klär av sig. Hon tvättar sig vid tvättstället. Sedan torkar hon sig med en handduk och klär på sig igen. Hon kammar sig framför spegeln och går sedan ut i köket för att sätta på kaffe. Hon hämtar tidningen, tar en kopp kaffe, sätter på radion och sätter sig vid köksbordet. Allt är lugnt och skönt.

Efter en stund känner hon sig trött och sömnig. Då går hon in i sovrummet och lägger sig och sover en stund. Hon ska arbeta i kväll igen mellan sex och nio. Då städar hon på ett kontor.

Svea får alltså se staden Lund både tidigt på morgonen, när fåglarna sjunger och solen går upp — och på kvällen, när skyltfönster och reklamljus lyser på biobesökare och restauranggäster.

# Grammatik
## Ordföljd vid reflexiva verb

| | | | | | |
|---|---|---|---|---|---|
| Jag | tvättar | | mig | | klockan sju. |
| Du | tvättar | | dig | | nu. |
| Han | tvättar | | sig | inte | i kallt vatten. |
| Vi | tvättar | | oss | | ofta. |
| Ni | tvättar | | er | | i badrummet. |
| De | tvättar | | sig | | med tvål. |

| | | | | | |
|---|---|---|---|---|---|
| Tvättar | jag | mig | | | klockan sju? |
| Tvättar | du | dig | | | nu? |
| Tvättar | han | sig | | inte | i kallt vatten? |
| Tvättar | vi | oss | | | ofta? |
| Tvättar | ni | er | | | i badrummet? |
| Tvättar | de | sig | | | med tvål? |

| | | | | | |
|---|---|---|---|---|---|
| Klockan sju | tvättar | jag | mig | | . |
| Nu | tvättar | du | dig | | . |
| I kallt vatten | tvättar | han | sig | inte | . |
| Ofta | tvättar | vi | oss | | . |
| I badrummet | tvättar | ni | er | | . |
| Med tvål | tvättar | de | sig | | . |

| | | | | | |
|---|---|---|---|---|---|
| Jag | brukar | | | tvätta mig | klockan sju. |
| Du | får | | | tvätta dig | nu. |
| Han | vill | | inte | tvätta sig | i kallt vatten. |
| Vi | behöver | | | tvätta oss | ofta. |
| Ni | brukar | | | tvätta er | i badrummet. |
| De | ska | | | tvätta sig | med tvål. |

| | | | | | |
|---|---|---|---|---|---|
| Brukar | jag | | | tvätta mig | klockan sju? |
| Får | du | | | tvätta dig | nu? |
| Vill | han | | inte | tvätta sig | i kallt vatten? |
| Behöver | vi | | | tvätta oss | ofta? |
| Brukar | ni | | | tvätta er | i badrummet? |
| Ska | de | | | tvätta sig | med tvål? |

# En skilsmässa

Ingrid Ek är frånskild. Hon var tidigare gift i tre år. Hon träffade sin man Lars på en dansrestaurang en höstkväll i november. Ingrid tyckte att Lars var en charmig ung man. Han var artig och trevlig och körde Ingrid hem i sin Volvo den första kvällen. Lars frågade Ingrid, om han fick träffa henne igen. Hon svarade ja, och de träffade varandra ofta, åt middag i hans våning och gick på bio eller på någon restaurang.

Ingrid presenterade honom snart för sina föräldrar. De föll också för hans charm. Ingrids föräldrar tyckte att deras dotter gjort ett bra val, när hon sa att hon ville gifta sig med sin Lars.

Deras förlovning varade en månad, och vigseln ägde rum på pingstafton i en liten vit kyrka. Lars och Ingrid var mycket lyckliga.

Men det är inte så lätt att vara gift. Ingrid och Lars hade olika intressen. Lars ville gå på fester och restauranger och träffa sina kamrater. Ingrid brukade stanna hemma med sina böcker. Hennes intressen var nämligen litteratur och musik. Efter ett år fick de en son. De döpte sitt barn till Mats, och de blev lyckliga igen.

Men efter en tid började de gräla och kände att de kom längre och längre från varandra. Till slut skilde de sig, och Ingrid bor nu med sin lilla pojke i Lund. Lars träffar sin son en gång i veckan, och han betalar också ett underhåll till honom.

# Grammatik
## Reflexiva pronomen: sin, sitt, sina

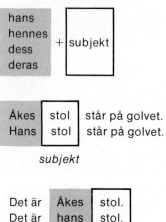

| Situationen är reflexiv. | Situationen är inte reflexiv. |
|---|---|
| **sin, sitt, sina** | **hans, hennes, dess, deras** |
| (Åke – Åke) | (Åke – Göran) |

| Åke | Åkes stol | | Göran | Görans stol |
|---|---|---|---|---|
| | Åkes bord | | | Görans bord |
| | Åkes stolar | | | Görans stolar |

| Åke målar sin stol. | Åke målar hans stol. |
|---|---|
| Åke målar sitt bord. | Åke målar hans bord. |
| Åke målar sina stolar. | Åke målar hans stolar. |

| hans | |
|---|---|
| hennes | |
| dess | + subjekt |
| deras | |

| Åkes | stol | står på golvet. |
|---|---|---|
| Hans | stol | står på golvet. |

*subjekt*

| Det är | Åkes | stol. |
|---|---|---|
| Det är | hans | stol. |

*subjekt*

104

# Den nya bilen

Åke och Eva Hellström har köpt en ny bil. Den står på gatan utanför huset. Åke och Eva har just gjort en provtur med sin nya bil och står och tittar på den, när Erik Svensson kommer hem. Erik parkerar sin bil bakom deras och kommer fram till Åke och Eva.

Erik är bilmekaniker och mycket intresserad av bilar, så han tittar noga på den nya bilen. Han och Åke diskuterar bilar en lång stund. Eva känner sig litet utanför, så hon går in i huset. Där möter hon Birgitta Svensson, som också talar om deras nya bil. Birgitta och Erik har nämligen också pratat länge om att köpa ny bil. Deras gamla är ganska rostig och klarar nog inte nästa besiktning på bilprovningen. Men de har inte råd just nu att köpa ny bil, så de får köra med sin gamla rostiga bil åtminstone ett år till.

# Grammatik

## Reflexiva pronomen: sin, sitt, sina

| Han (Kalle) leker med | sin(a) | (Kalles) | |
|---|---|---|---|
| | hans | (Olles) | |
| | hennes | (Annas) | boll(ar) |
| | dess | (kattens) | |
| | dess | (barnets) | |
| | deras | (barnens) | |

| Hon (Anna) leker med | sin(a) | (Annas) | |
|---|---|---|---|
| | hans | (Kalles) | |
| | hennes | (Karins) | boll(ar) |
| | dess | (kattens) | |
| | dess | (barnets) | |
| | deras | (barnens) | |

| Den (katten) leker med | sin(a) | (kattens) | |
|---|---|---|---|
| | hans | (Olles) | |
| | hennes | (Annas) | boll(ar) |
| | dess | (barnets) | |
| | deras | (barnens) | |

| Det (barnet) leker med | sin(a) | (barnets) | |
|---|---|---|---|
| | hans | (Kalles) | |
| | hennes | (Karins) | boll(ar) |
| | dess | (kattens) | |
| | deras | (barnens) | |

| De (barnen) leker med | sin(a) | (barnens) | |
|---|---|---|---|
| | hans | (Olles) | |
| | hennes | (Annas) | boll(ar) |
| | dess | (kattens) | |
| | dess | (grannbarnets) | |
| | deras | (grannbarnens) | |

# Ord och uttryck

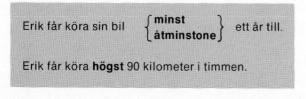

Erik får köra sin bil $\left\{ \begin{array}{l} \textbf{minst} \\ \textbf{åtminstone} \end{array} \right\}$ ett år till.

Erik får köra **högst** 90 kilometer i timmen.

# Ett äldre par

Torsten och Greta Falk är ett trevligt gammalt par. Greta är liten och rund, och hon ser alltid lika glad och vänlig ut — som en riktig mormor eller farmor. Torsten är lång och smal, och han ser ganska militärisk ut, men han är alltid artig, öppnar dörren, lyfter på hatten och säger Goddag. Han går snabbt och militäriskt, och han talar högt och bestämt. Barnen i huset är lite rädda för honom. De vågar till exempel inte släppa ut luften ur farbror Torstens cykel, som de gör med de andra cyklarna ibland.

Männen i huset känner sig lite nervösa, när de möter Torsten Falk. Han påminner dem om deras värnpliktstid, när de låg i "lumpen".

Greta är populär bland barnen. Hon pratar alltid vänligt och intresserat med dem. Hon talar inte högt som Torsten, utan lågt och mjukt. Hon går långsamt och tittar sig nyfiket omkring med pigga, glada ögon.

Både Torsten och Greta är sportiga, och de cyklar i stället för att åka bil. Torsten brukar säga: "En sund själ i en sund kropp", medan Greta säger: "En sund själ i en rund kropp"!

# Grammatik
## Adjektiv och adverb

Adjektiv *bestämmer* | substantiv.

Adverb *bestämmer* | verb | , | adjektiv | *eller* | andra adverb.

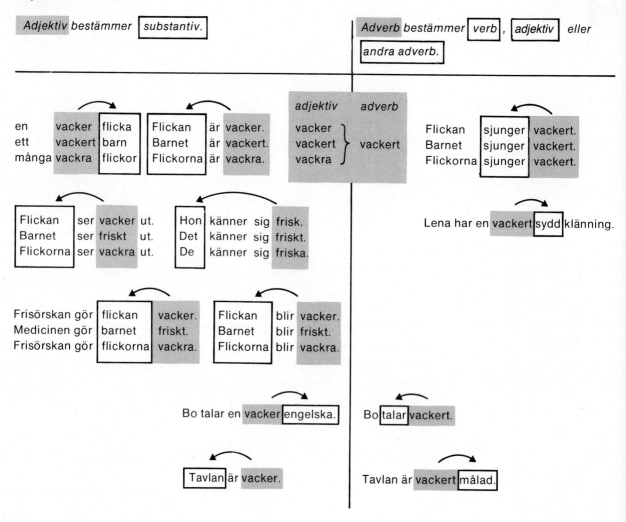

| | | | | | adjektiv | adverb |
|---|---|---|---|---|---|---|
| en | vacker | flicka | Flickan | är vacker. | vacker | |
| ett | vackert | barn | Barnet | är vackert. | vackert | vackert |
| många | vackra | flickor | Flickorna | är vackra. | vackra | |

| Flickan | sjunger | vackert. |
| Barnet | sjunger | vackert. |
| Flickorna | sjunger | vackert. |

| Flickan | ser vacker ut. |
| Barnet | ser friskt ut. |
| Flickorna | ser vackra ut. |

| Hon | känner sig frisk. |
| Det | känner sig friskt. |
| De | känner sig friska. |

Lena har en vackert sydd klänning.

| Frisörskan gör | flickan | vacker. |
| Medicinen gör | barnet | friskt. |
| Frisörskan gör | flickorna | vackra. |

| Flickan | blir vacker. |
| Barnet | blir friskt. |
| Flickorna | blir vackra. |

Bo talar en vacker engelska.

Bo talar vackert.

Tavlan är vacker.

Tavlan är vackert målad.

vara + adjektiv
göra någon + adjektiv
se + adjektiv + ut
bli + adjektiv
låta + adjektiv
känna sig + adjektiv

göra något + adverb

108

## *Semesterbilder*

När Göran Nilsson kör hem från arbetet, hämtar han bilderna från semestern i fotoaffären. Alla i familjen är redan hemma, när han kommer hem.

| | |
|---|---|
| *Göran* | Här är bilderna från semestern. Vilka fina kort! |
| *Ulla* | Vad kostade de? |
| *Göran* | De var dyra, de kostade 150 kronor. |
| *Alla* | Får vi se? Är de bra? |
| *Göran* | Några är bra, andra är dåliga. |

Hela familjen sätter sig ner för att se på fotona.

| | |
|---|---|
| *Berit* | Titta på pappa! Vad han ser trött och arg ut! |
| *Ulla* | Och här är Kalle med sina fiskar. Han ser verkligen glad ut, men kortet är lite för mörkt. |
| *Göran* | Men titta på hans kläder! Byxorna är ju smutsiga, skjortan är skrynklig, och han är våt i håret. |
| *Kalle* | Det regnade ju! |
| *Ulla* | Titta på det här kortet! Det är så bra — en glad och lycklig familj på semester! Det skickar vi till mormor. |
| *Kalle* | Titta på Berit! Vad hon ser ledsen ut! |
| *Göran* | Ja, och kortet är lite för ljust också. |
| *Berit* | Här är ett alldeles vitt kort. Det måste vara ett kort på Kalle. ▶ |

Han fastnar aldrig på foton. Men det är ovanligt bra för att vara av honom!

| | |
|---|---|
| Kalle | Äh, håll tyst! |
| Berit | Men titta på mamma då! Vad hon ser tjock ut! |
| Ulla | Usch, det var ett dåligt foto. |

Sedan klistrar Göran in alla fotona i ett album. Men snart har han så många album, att han inte vet var han ska göra av dem!

## Grammatik
### Ordföljd i utropssats

*Ordföljden är* **rak** *i utropssatser*

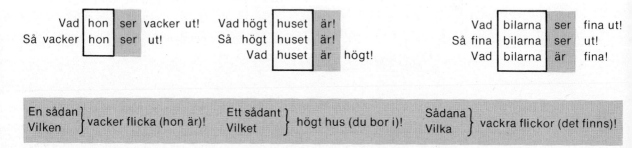

## Dialog

| | |
|---|---|
| Eva | Vilken snygg jumper du har! |
| Birgitta | Tack! |
| Eva | Är den ny? |
| Birgitta | Ja, det är första gången som jag har den. |
| Eva | Den klär dig verkligen! |
| Birgitta | Tycker du det? |

# *Lucia*

Det är en kall och blåsig morgon den trettonde december. Väckarklockan ringer i Berits rum. Hon stänger av den och sträcker lite på sig. Det är varmt och skönt i sängen, men hon måste stiga upp, trots att klockan bara är halv sex. Hon sätter sig upp i sängen, sticker fötterna i morgontofflorna, går fram till fönstret och drar upp persiennerna. Det är alldeles mörkt ute, och det snöar och blåser.

Efter en snabb dusch klär hon på sig och går ut i köket och lagar choklad. Hon är så sömnig, att hon inte orkar äta någonting. Hon tar en kasse, som hon packade kvällen före. Där ligger ett långt, vitt nattlinne, en luciakrona, ett brett, rött sidenband och en påse lussekatter.

Eftersom det är den trettonde december, Luciadagen, idag, ska Berit och hennes klasskamrater ''lussa'' för sin klassföreståndare. Berit tar på sig ytterkläderna och går tyst ut genom dörren.

När hon kommer ut på gatan, går hon snabbt mot torget, där alla ska träffas kvart över sex. Hon möter flera andra ungdomar med kassar i händerna och vita nattlinnen. Hon kommer till torget precis en kvart över sex och hälsar på de andra, som redan har kommit. De går snabbt mot lärarens hus. När de kommer in i trappuppgången, byter de om till luciakläder. De tar fram en bricka och placerar koppar och fat med lussekatter och pepparkakor på den. Någon har en termos med kaffe med sig. Sedan går de upp till lärarens dörr, ringer på och börjar sjunga:

1. Sankta Lu-ci - a, Ljus-kla-ra häg-ring,

Sprid i vår vin-ter-natt Glans av din fäg-ring!

Drömmar med vingesus Under oss si - a, Tänd di - na

1.
vi - ta ljus, Sankta Lu-ci - a!

2.
Sank-ta Lu-ci - a.

## Grammatik
### Sammansatta verb

*Sammansatta verb har tryckaccenten på partikeln*

| konju-gation | infinitiv | imperativ | presens | imperfekt | supinum |
|---|---|---|---|---|---|
| 1 | duka av | duka av! | dukar av | dukade av | dukat av |
| 2 A | slänga bort | släng bort! | slänger bort | slängde bort | slängt bort |
| 2 B | låsa upp | lås upp! | låser upp | låste upp | låst upp |
| 3 | sy fast | sy fast! | syr fast | sydde fast | sytt fast |
| 4 | bjuda in | bjud in! | bjuder in | bjöd in | bjudit in |

*Betona alltid partikeln!*

Mamma | dukar | alltid | av | bordet efter middagen.

**OBSERVERA**

*skillnaden mellan sammansatta verb och verb med obetonad preposition!*

hälsa på = besöka, gå hem till          Monika hälsar på Bo.
hälsa på = säga "Goddag!" eller "Hej!"  Monika hälsar på Bo.
gå mot = kollidera med                  Berit går mot en cykel.
gå mot = gå i riktning mot              Berit går mot torget.

## Ord och uttryck
*Helger och andra*
*högtidsdagar*

en vardag: affärerna är öppna
en söndag: nästan alla affärer är stängda
en helgdag: nästan alla affärer är stängda     Vi önskar varandra:
ett veckoslut = en helg: en lördag och söndag    Trevlig helg! — Tack detsamma!

*Nyår*
31 december   Nyårsafton (vardag)                    Gott nytt år!
 1 januari     Nyårsdagen (helgdag)

*Trettondagshelgen*
5 januari     Trettondagsafton (vardag)
6 januari     Trettondagen (helgdag, trettonde dagen efter jul)

*Påsk*
Långfredagen (helgdag, fredag)
Påskafton (vardag, lördag)                Glad påsk!
Påskdagen (helgdag, första söndagen efter första fullmånen
efter vårdagjämningen)
Annandag påsk (helgdag, måndag)

*Kristi himmelsfärdsdag* (helgdag, torsdag, fyrtionde dagen
efter påsk)

*Pingst*
Pingstafton (vardag, lördag)            Glad pingst!
Pingstdagen (helgdag, söndag, femtionde dagen efter påsk)
Annandag pingst (helgdag, måndag)

1 maj

6 juni       *Svenska flaggans dag* (vardag, nationaldag)

*Midsommar*
Midsommarafton (vardag, fredag)     Glad midsommar!
Midsommardagen (helgdag, lördag mellan 20 och 26 juni)
                                 Trevlig midsommar!

*Alla helgons dag* (helgdag, lördag mellan 31 oktober och 6
november)

10 december   *Nobeldagen* (vardag, Kungen delar ut nobelprisen)

13 december   *Luciadagen* (vardag, man firar Lucia)

*Jul*
24 december   Julafton (vardag)                    God jul!
25 december   Juldagen (helgdag)
26 december   Annandag jul (helgdag)

*Kalmar slott*

# *Ett brev från Ingrids föräldrar*

En dag i början av april får Ingrid Ek ett brev med posten. Hon öppnar det och läser det. Brevet är från Ingrids föräldrar i Kalmar. Så här står det:

*Kalmar 10/4 1981*

*Kära Mats och Ingrid!*
*Det var länge sedan ni hörde av er! Vi hoppas att ni har det bra. Far och jag har varit lite förkylda, men nu mår vi bra igen. Det är inte så konstigt efter denna kalla och blåsiga vår. Vi hoppas att ni kommer hem till påsk, som vi har planerat. Det ska bli så roligt!*

*Mats' lilla säng står färdig i ditt gamla flickrum, Ingrid. Far och jag längtar så efter vårt lilla barnbarn! Han är väl samma glada och livliga pojke som vanligt.*

*Vi bytte bil för en tid sedan. Den gamla bilen började bli så rostig. Någon ny bil har vi inte råd med, så vi har köpt en begagnad SAAB av 1975 års modell. Den verkar bra.*

*Vad önskar Mats sig i födelsedagspresent? Far och jag har tittat på ett fint litet leksakståg. Tror du han vill ha ett sådant? Eller ett par riktiga snickarbyxor? Men det finns ju också många andra roliga saker för barn nuförtiden. Vill du vara snäll och skriva vad Mats önskar sig! Vi har inga andra förslag än leksakståg eller snickarbyxor.*

*Ha det så bra båda två!*

*Hjärtliga hälsningar och en stor kram till er båda*
*från*
*FAR och MOR*

# Grammatik
## Adjektiv före substantiv

*Singular*

| | | | |
|---|---|---|---|
| en<br>någon<br>ingen<br>vilken<br>varje | **fin** | **finare** | bil |
| ett<br>något<br>inget<br>vilket | **fint** | **finare** | hus |
| den _(här, där)_<br>det | **finare** | **finaste** — **största** | bil**en**<br>hus**et** |
| Evas<br>min, din . . .<br>denna<br>samma<br>nästa<br>följande<br>mitt, ditt . . .<br>detta | **finaste** | **finaste** — **största** | bil<br>hus |

*Plural*

| | | | |
|---|---|---|---|
| inga<br>få<br>några<br>flera<br>många<br>alla<br>vilka<br>27 | **finare** | **finare** | bilar<br>hus |
| de | | **finaste** — **största** | bilar**na**<br>hus**en** |
| Evas<br>mina, dina . . .<br>dessa<br>samma<br>följande | **finaste** | **finaste** — **största** | bilar<br>hus |

## *Skvaller*

Birgitta Svensson och Svea Lindberg sitter i Sveas kök och dricker eftermiddagskaffe tillsammans. Det gör de ofta. "Kom in på en kopp!", brukar de säga till varandra.

De har alltid mycket att prata om, särskilt då om grannarna, förstås.

| | |
|---|---|
| *Birgitta* | Vad tycker du om Hellströms nya bil? |
| *Svea* | Ja, den är ju flott, men en ny bil nu igen! Hur har de råd? 60 000 kronor kostar den, har jag hört. Det är ju en hel årsinkomst. |
| *Birgitta* | Är det någon, som har råd att betala 60 000 kronor för en bil, så är det väl de. Unga, friska människor med välbetalda arbeten är de, och så har de ju inga barn. |
| *Svea* | Ja, Eva köper ju en hel del nya kläder också. Hon är minsann alltid klädd efter det senaste modet. |
| *Birgitta* | Ja, på tal om pengar, spriten är ju också dyr. Du skulle ha sett häromdagen, när Bo kom hem från systembolaget med två stora kassar. Dörren smällde igen, och en av kassarna kom emellan. Alla flaskorna gick sönder, och all spriten rann ut i trappuppgången. Sedan låg han halva förmiddagen och torkade sprit i trappan. |
| *Svea* | Var det i onsdags? |

| Birgitta | Ja, just det. |
|---|---|
| Svea | Ja, jag tyckte väl att det luktade sprit i trappuppgången. Förresten, jag undrar om det inte blir förlovning här i huset snart. |
| Birgitta | Vilka menar du då? |
| Svea | Bo och Monika förstås. Hon är ju jämt uppe hos honom. Hon lånar visst böcker av honom. Så många böcker som hon har läst den sista tiden har hon nog inte läst i hela sitt liv! |
| Birgitta | Det skulle verkligen vara roligt. Det är ju två trevliga ungdomar. Men oj då! Klockan är ju redan fyra. Jag måste nog hem och sätta på maten. Tack ska du ha för kaffet, Svea! |

## Grammatik
### Proverbet "göra"

Svea **dricker** kaffe. Det **gör** hon ofta.
**Bakar** kakor **gör** Birgitta ofta.
**Lagar** bilar, det **gör** Erik varje dag.
Berit: Jag **går** på bio med Kjell i kväll. Mamma: Ja, **gör** det du!

## Ord och uttryck

ju = 1  *som du vet*
Stockholm ligger **ju** i Sverige.
Stockholm ligger i Sverige, som du vet.

2  *naturligtvis*
Det är söndag i morgon, då är **ju** affärerna stängda.

väl = 1  *inte sant? eller hur?*
Du kommer **väl** i morgon?

Du kommer i morgon, inte sant?
eller hur?

2 *nog*

Jag tyckte väl/nog att det luktade sprit.

| inte | (0 %) | Stockholm ligger **inte** i Norge. |
|---|---|---|
| kanske | (50 %) | Det blir **kanske** regn i morgon. |
| nog | (75 %) | Bo och Monika förlovar sig **nog** snart! |
| säkert | (100 %) | Eva har **säkert** råd att köpa nya kläder. |

## Nya grannar

Alla i huset talar med varandra litet mer än vanligt. Det står ett namn på dörren till den tomma lägenheten. Det är ett utländskt namn — Novak! Folk stannar till framför dörren och tittar på namnskylten.

Familjen Svensson är lite rädda för att få en utländsk familj i våningen över sig, men Hellströms tycker att det ska bli trevligt att få nya grannar. Kalle och Berit Nilsson hoppas att familjen har barn i deras ålder.

En lördagsförmiddag stannar en flyttbil utanför huset. Många står bakom gardinerna och tittar försiktigt ut genom fönstret. Två män stiger ur bilen, går fram till porten och in i huset.

Ulla Nilsson går ut i trappuppgången och kastar soppåsen i sopnedkastet. Dörren till Novaks lägenhet står öppen. Hon tittar in, när hon går förbi den, men hon ser ingenting särskilt.

De två männen går ut till flyttbilen igen. De bär in möbler, väskor och lådor från flyttbilen. Efter några timmar är de klara. De hoppar in i bilen och kör iväg. En timme senare kommer en av männen tillbaka tillsammans med en ung kvinna och ett litet barn. De står en stund ute på gatan och tittar upp mot våningen, innan de öppnar porten och går in. Det är Milan Novak, som flyttar in i huset med sin fru Maria och deras lilla flicka Jasna.

# Grammatik
## Sammansatta verb

*Tryckaccenten ligger på verbet:* Åke *tittar* på TV.

*Tryckaccenten ligger på partikeln:* Åke *tittar på*, när Eva lagar mat.

| | | |
|---|---|---|
| tittar | in | Ulla tittar in i lägenheten. |
| | ut | Ulla tittar ut genom fönstret. |
| | upp | Männen tittar upp mot andra våningen. |
| | ner | Ulla tittar ner på gatan. |
| | på | Ulla tittar på, när de flyttar in. |
| stiger | in i | Männen stiger in i bilen. |
| | ut ur | Männen stiger ut ur bilen. |
| går | förbi | Eva går förbi skyltfönstret. |
| | in i | Eva går in i vardagsrummet. |
| | ut ur | Ulla går ut ur affären. |
| | fram till | Eleven går fram till tavlan. |

## En tågresa

Det är några dagar före påsk. Torsten och Greta Falk ska resa och hälsa på sina barn och barnbarn i Borås över helgen. De ska åka tåg, eftersom de inte har någon bil. Torsten har organiserat resan och packat resväskorna. Nu är de klara.

Tåget går om fyrtiofem minuter. Torsten och Greta tar sina väskor och går till stationen. Det är inte så långt dit. Torsten ställer sig i kö vid biljettluckan för att hämta biljetterna, som de har beställt. Det är billigt att åka tåg, och eftersom de är pensionärer, får de också 40 % pensionärsrabatt.

Greta går till pressbyråkiosken och köper en veckotidning och två äpplen. Sedan går de ut på perrongen. Snart kommer tåget till Stockholm in. Torsten hjälper en ung dam med barnvagn att stiga på. De söker upp sina platser, tåget börjar rulla, och snart kommer konduktören för att kontrollera biljetterna. Han säger till dem att de måste byta i Alvesta.

Det är mycket folk på tåget nu före påskhelgen, men det blir nog ännu mer folk i morgon, när de flesta är lediga.

Greta tar fram ett äpple och sin veckotidning och börjar läsa. Torsten tittar ut genom fönstret en stund, innan han tar fram en deckare.

Några minuter senare tittar Greta upp från tidningen. Torsten har somnat med boken i knät. Greta ler ömt och tar försiktigt upp boken, som håller på att falla i golvet. Det är minsann tröttsamt att organisera tågresor!

## Ordbildning
### Sammansatta ord

*Sammansättningen får efterledens genus*

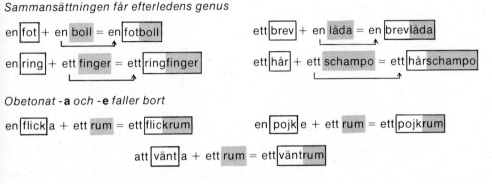

*Obetonat* -a *och* -e *faller bort*

*Om förleden är sammansatt, står ett* -s *före efterleden.*

-s *står ofta före efterleden*

*Andra typer av sammansättning:*

## Dialog

| | |
|---|---|
| *Torsten Falk* | Två tur och retur Borås. |
| *Biljettexpeditören* | Har ni pensionärslegitimation? |
| *Torsten Falk* | Ja, varsågod. |
| *Biljettexpeditören* | Då blir det 96 kronor. |
| *Torsten Falk* | Varsågod. Kan jag få en turlista också? |
| *Biljettexpeditören* | Jaha, varsågod. |

## Olle söker sommarjobb

Det är i slutet av terminen, och sommarlovet närmar sig. Olle vill gärna arbeta under sommaren för att tjäna lite pengar. Erik säger till honom att han gärna kan söka arbete utanför Lund, om det inte skulle finnas något arbete där.

Olle går alltså till arbetsförmedlingen för att fråga, om det möjligen finns något lämpligt sommararbete för honom. En tjänsteman frågar Olle vad han helst vill ha för arbete. Olle tycker att det inte spelar så stor roll, för han ska ju bara arbeta en kort tid. Tjänstemannen skriver upp Olles namn och adress, och efter några dagar får Olle ett meddelande från arbetsförmedlingen. Det står där att Olle kanske kan få arbete som vårdare på ett ålderdomshem under två månader. Olle blir faktiskt mycket glad och vill gärna ta det arbetet. Eftersom han alltid har varit intresserad av människor, passar ett sådant arbete honom perfekt.

Olle arbetar sedan som vårdare under en stor del av sommarlovet, och han är mycket nöjd. Han visste inte att vårdarbetet faktiskt kunde vara så intressant. Han kommer eventuellt att fortsätta studera vid någon vårdskola, när han har slutat grundskolan.

### Ord och uttryck

| | |
|---|---|
| gärna–hellre–helst | Åke diskar **gärna** för hand, men han diskar **hellre** med diskmaskin. **Helst** låter han Eva diska. |
| början i mitten av slutet | Sommarlovet börjar i **början** av juni och slutar i **slutet** av augusti. Luciadagen är **i mitten av** december. |

# Grammatik
## Placering av satsadverb

*satsadverb*

|  |  | inte<br>kanske<br>nog |  |  |
|---|---|---|---|---|
|  | Eva spelar | faktiskt | piano. | *huvudsats* |
| Åke säger att | Eva | egentligen | spelar piano. | *bisats* |
|  | Eva vill | väl | spela piano. | *huvudsats* |
| Åke säger att | Eva | bara | vill spela piano. | *bisats* |
|  | Spelar Eva | gärna, hellre, helst | piano. | *huvudsats* |
| Åke frågar om | Eva | alltid | spelar piano. | *bisats* |
|  | Vill Eva | för det mesta | spela piano? | *huvudsats* |
| Åke frågar om | Eva | vanligen | vill spela piano. | *bisats* |
|  |  | ofta<br>sällan<br>aldrig |  |  |

# Årets tider

| ett år | ett år | | | | | | | | | | | |
|---|---|---|---|---|---|---|---|---|---|---|---|---|
| två halvår | första halvåret | | | | | | andra halvåret | | | | | |
| fyra kvartal | första kvartalet | | | andra kvartalet | | | tredje kvartalet | | | fjärde kvartalet | | |
| tolv månader | januari | februari | mars | april | maj | juni | juli | augusti | sep tember | oktober | novem ber | decem ber |
| fyra årstider | vinter | | vår | | | | sommar | | | höst | | vinter |

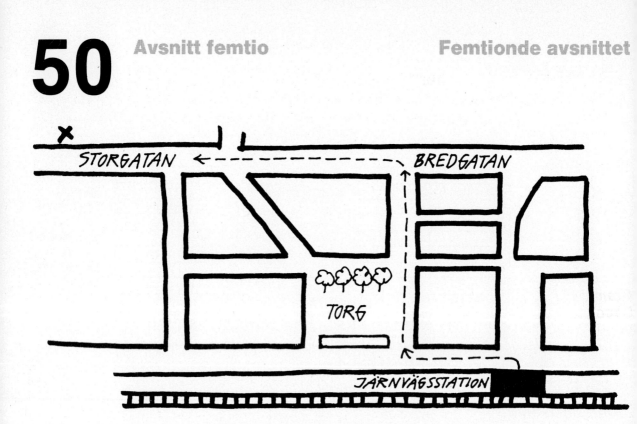

## Ett telefonsamtal

Det är söndag förmiddag. Telefonen ringer hos Åke och Eva Hellström. Åke lyfter luren och svarar.

Åke   Hellström.

Sten  Är det Åke Hellström?

Åke   Ja, det är det.

Sten  Hej, Åke. Det här är Sten Olsson från Umeå. Jag hoppas att jag inte stör. Kommer du ihåg mig och min fru Anna? Vi träffades på semestern förra året.

Åke   Hejsan, Sten! Visst minns jag er. Det var längesedan! Hur har ni det nuförtiden?

Sten  Tack, bara fint. Och ni då?

Åke   Tack, bara bra.

Sten  Anna och jag är faktiskt i Lund just nu.

Åke   Nej, men så trevligt! Då måste ni komma och hälsa på oss. Ni har väl vår adress?

Sten  Ja, vi kommer gärna. Ni bor ju på Storgatan 12. Men var ligger Storgatan?

Åke   Vet du var stationen ligger?

Sten  Ja, det vet jag.

Åke   Vid stationen finns en bred gata. Kör förbi stationen och rakt fram till torget och ta sedan till höger. Kör sedan tills du kommer till Bredgatan. Ta till vänster och fortsätt rakt fram på Bredgatan, så kommer du så småningom till Storgatan. Där ligger ett gult femvåningshus med en stor port och brunt tak. Det är inte så svårt att hitta.

Sten  Nej, det ska nog gå bra. Då kör vi nu.

Åke   Ja, det ska bli roligt att träffas. Hej så länge!

Sten  Hej, hej!

# Grammatik
## Deponens

*Deponens är verb som slutar på **-s** i alla former:*

| konju-<br>gation | infinitiv | presens | imperfekt | supinum |
|---|---|---|---|---|
| 1 | hoppas | hoppas | hoppades | hoppats |
|   | träffas | träffas | träffades | träffats |
| 2 A | kännas | känns | kändes | känts |
|     | trivas | trivs | trivdes | trivts |
|     | minnas | minns | mindes | mints |
| 2 B | märkas | märks | märktes | märkts |
| 4 | finnas | finns | fanns | funnits |

*Några verb som slutar på -s, har reciprok betydelse:*

Åke träffar Sten. Sten träffar Åke.
Åke och Sten träffar **varandra**. = Åke och Sten träffas.

*Några verb, som slutar på -s, kan ha objekt:*

Åke minns Sten Olsson. Åke minns att han träffade Sten Olsson förra året.
Åke hoppas att Sten kommer och hälsar på.

*Några verb som slutar på -s, har inget objekt:*

Eva trivs i Lund.   Det märks att han är sjuk.   Hur känns det idag?

## Dialog 1

| | |
|---|---|
| *En turist* | Ursäkta, hur ska jag gå för att komma till universitetet? |
| *Monika Holm* | Ni ska gå Stora Södergatan rakt fram till domkyrkan. Sedan tar ni till höger och går genom Lundagård. Då kommer ni direkt till universitetet. |
| *Turisten* | Tack, det var snällt! |
| *Monika Holm* | Ingen orsak. |

## Dialog 2

Telefonen ringer hos Nilssons.

| | |
|---|---|
| *Göran Nilsson* | 12 34 56 |
| *En okänd röst* | Åh, ursäkta, då har jag kommit fel. |
| *Göran Nilsson* | För all del. |

## Dialog 3

Telefonen ringer hos Nilssons.

| | |
|---|---|
| *Ulla Nilsson* | Nilsson. |
| *Johan Eriksson* | Goddag. Mitt namn är Johan Eriksson. Ursäkta att jag ringer så här sent, men skulle jag kunna få tala med Göran Nilsson? |
| *Ulla Nilsson* | Ett ögonblick! – Göran! Det är telefon till dig! |
| *Göran Nilsson* | Jaa, jag kommer. |

## Dialog 4

Telefonen ringer hos Nilssons.

| | |
|---|---|
| *Ulla Nilsson* | Nilsson. |
| *Kurt Lilja* | Goddag. Det är Kurt Lilja. Kan jag få tala med Einar? |
| *Ulla Nilsson* | Det finns ingen med det namnet här. |
| *Kurt Lilja* | Men är det inte 12 34 57? |
| *Ulla Nilsson* | Nej, det här är 12 34 56. |
| *Kurt Lilja* | Åh, ursäkta, då har jag kommit fel. |
| *Ulla Nilsson* | För all del. |

## Kristina och kärleken

Kristina tänker ofta på sin framtid. Hon är nu 25 år gammal, och hon skulle gärna vilja gifta sig och bilda familj. Hon har börjat tröttna på att leva som hon gör.

Hon trivs bra tillsammans med sin väninna Monika, men det känns ändå som om något saknas i livet. Ibland avundas hon Monika, när hon tänker på att Bo och Monika brukar träffas och ha det trevligt tillsammans.

Kristina går ofta på diskotek, där det finns många ungdomar i hennes ålder. Hon hoppas på att hon ska lyckas träffa någon pojke som hon kan tycka om och känna gemenskap med. Kristina umgås gärna med studenter och tycker om att diskutera med dem.

Efter dansen följer ibland någon pojke henne hem, och innan de skiljs vid porten, kommer de överens om att mötas nästa dag.

Då brukar de gå ut och promenera tillsammans, titta på någon utställning eller gå på bio. Sedan går de och äter en bit mat eller dricker en kopp kaffe någonstans. På hemvägen kan det hända att de sätter sig på en parkbänk och börjar kyssas — om det inte regnar!

# Grammatik
## Deponens

| konju-gation | infinitiv | imperativ | presens | imperfekt | supinum |
|---|---|---|---|---|---|
| 1 | andas<br>avundas<br>fattas<br>saknas<br>hoppas<br>lyckas<br>låtsas<br>svettas<br>träffas<br>vistas | andas!<br><br><br><br>hoppas!<br><br>låtsas!<br>svettas!<br>träffas!<br>vistas! | andas<br>avundas<br>fattas<br>saknas<br>hoppas<br>lyckas<br>låtsas<br>svettas<br>träffas<br>vistas | andades<br>avundades<br>fattades<br>saknades<br>hoppades<br>lyckades<br>låtsades<br>svettades<br>träffades<br>vistades | andats<br>avundats<br>fattats<br>saknats<br>hoppats<br>lyckats<br>låtsats<br>svettats<br>träffats<br>vistats |
| 2a | födas<br>kännas<br>minnas<br>skiljas<br>trivas | <br><br>minns!<br>skiljs!<br>trivs! | föds<br>känns<br>minns<br>skiljs<br>trivs | föddes<br>kändes<br>mindes<br>skildes<br>trivdes | fötts<br>känts<br>(mints)<br>skilts<br>trivts |
| 2b | hjälpas åt<br>kräkas<br>kyssas<br>märkas<br>mötas | hjälps åt!<br>kräks!<br>kyss varandra!<br><br>möts! | hjälps åt<br>kräks<br>kysser varandra<br>märks<br>möts | hjälptes åt<br>kräktes<br>kysstes<br>märktes<br>möttes | hjälpts åt<br>kräkts<br>kyssts<br>märkts<br>mötts |
| 3 | brås | | brås | bråddes | bråtts |
| 4 | finnas<br>ses<br>slåss<br>umgås | <br><br>slåss!<br>umgås! | finns<br>ses<br>slåss<br>umgås | fanns<br>sågs<br>slogs<br>umgicks | funnits<br>setts<br>slagits<br>umgåtts |

## Dialog

Berit är på hemväg från skolan. Det är en regnig onsdagseftermiddag. Kjell, hennes skolkamrat och pojkvän, springer ifatt henne.

Kjell   Ska du gå direkt hem?

Berit   Ja, det ska jag.

Kjell   Kan vi ha sällskap en bit?

Berit   Ja, det kan vi väl.

Kjell   Det var väldigt så många läxor vi har till i morgon!

Berit   Jaa, jag vet då vad jag ska göra i kväll.

Kjell   Ja, jag också. Men man kan ju inte sitta inne och läsa hela kvällen. Någon fritid måste man ju ha. Jag tror att jag ska gå till fritidsgården. Ska vi träffas där?

Berit   Ja, gärna. Jag ska bara äta middag och plugga lite först. Jag kommer vid åttatiden.

Kjell   Fint! Då ses vi i kväll. Hej så länge!

Berit   Hej då!

# En inbjudan

Telefonen ringer hemma hos familjen Svensson. Birgitta lyfter luren och svarar.

| | |
|---|---|
| *Birgitta* | Svensson. |
| *Fru Björk* | Hej, Birgitta! Det är Anna-Greta. |
| *Birgitta* | Nej men hej, Anna-Greta! Det var längesedan! Hur har ni det nuförtiden? |
| *Fru Björk* | Tack fint. Och ni själva då? |
| *Birgitta* | Tack, bara bra. |
| *Fru Björk* | Jo, jag ringer för att fråga om ni är lediga på lördag kväll. Min man och jag tycker att det skulle vara roligt om Erik och du och alla barnen ville komma hem till oss på lördag kväll. |
| *Birgitta* | Ja tack, det låter väldigt trevligt. Vi har inget särskilt för oss på lördag kväll, så vi kommer gärna. Hur dags ska vi komma? |
| *Fru Björk* | Vid sjutiden, om det passar er. |
| *Birgitta* | Ja, det passar utmärkt. Det ska bli roligt. Tack ska du ha! |
| *Fru Björk* | Ja, då säger vi det. Ni är välkomna på lördag kväll klockan sju. Hej så länge! |
| *Birgitta* | Hej, hej! Och tack för att du ringde. |

# Grammatik
## Satsbyggnad: direkt och indirekt tal

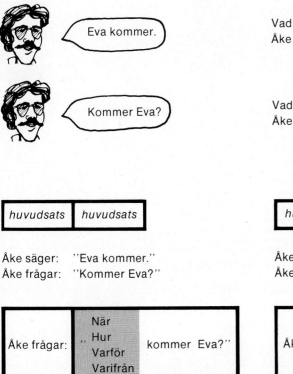

Vad gör Åke?
Åke säger att Eva kommer.

Vad gör Åke?
Åke frågar om Eva kommer.

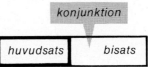

| huvudsats | huvudsats |
|---|---|

| huvudsats | bisats |
|---|---|

konjunktion

Åke säger:   "Eva kommer."
Åke frågar:   "Kommer Eva?"

Åke säger att Eva kommer.
Åke frågar om Eva kommer.

| Åke frågar: | ,, När Hur Varför Varifrån | kommer  Eva?'' |
|---|---|---|

| Åke frågar | när hur varför varifrån | Eva  kommer. |
|---|---|---|

*Första personen i direkt tal → tredje personen i indirekt tal i bisats*

Åke säger:   "**Jag** är ingenjör."
Åke säger:   "**Vi** har en bil.

Åke säger att **han** är ingenjör.
Åke säger att **de** har en bil.

# Dialog

Fru Svensson träffar fru Björk på gatan.

| *Fru Svensson* | Nej men hej! |
|---|---|
| *Fru Björk* | Hejsan! |
| *Fru Svensson* | Tack för senast! Det var verkligen mycket trevligt i lördags! |
| *Fru Björk* | Det var roligt att du tyckte det! |

# I tvättstugan

En dag ringer det på familjen Nilssons dörr. Ulla Nilsson går och öppnar. Utanför står de nya hyresgästerna.

**Milan Novak**  Goddag. Mitt namn är Milan Novak, och det här är min fru Maria. Vi är de nya hyresgästerna.

**Ulla**  Goddag, goddag.

**Milan**  Vi tänkte tvätta i tvättstugan, men vi vet inte riktigt hur man gör. Skulle ni vilja visa oss? Min fru förstår inte så mycket svenska.

**Ulla**  Javisst, jag visar er gärna hur man tvättar. Ska vi gå ner med detsamma?

**Milan**  Ja tack. Det skulle vara bra.

De går ner till tvättstugan i källaren.

**Ulla**  Här har vi tvättmaskinen, och där är listan, som man skriver upp sig på, när man vill tvätta.

**Milan**  Min fru undrar, om man måste skriva upp sig, innan man tvättar.

**Ulla**  Ja, det måste man. Innan ni lägger kläderna i maskinen, måste ni sortera dem i bomull, syntet och ylle. Bomull tvättar man i 60° eller 90°, syntet i 30° och ylle i 30°. Det står här på ratten. Förstår Ni?

Maria säger något till Milan.

**Milan**  Ja, min fru säger att hon förstår.

Sedan visar Ulla hur man sätter igång tvättmaskinen, var man kan följa tvättprogrammet, vad man gör när det är slut, var man hänger upp tvätten och många andra praktiska saker. Maria frågar mycket, och Milan översätter för henne, när hon inte förstår.

## Grammatik

*Satsbyggnad: direkt och indirekt tal*

| direkt tal | | | |
|---|---|---|---|
| *huvudsats* | | | |

| | | |
|---|---|---|
| Måste man skriva upp sig? | | |
| Hur sätter man igång tvättmaskinen? | | |
| Var hänger man tvätten? | | |
| Vad gör man, när tvättprogrammet är slut? | | |

| indirekt tal | | |
|---|---|---|
| *huvudsats* | *konjunktion* | *bisats* |
| Milan vill veta | om | man måste skriva upp sig. |
| Maria frågar | hur | man sätter igång tvättmaskinen. |
| Ulla visar | var | man hänger tvätten. |
| Ulla berättar | vad | man gör, när tvättprogrammet är slut. |

## Ord och uttryck

Tvättinstruktioner

**Så här tyder du tvättmärkena.**

Ta med dig det här bladet hem, sätt upp det vid tvättmaskinen så har du det till hands då det behövs

| | |
|---|---|
| ⬜ | = tål endast handtvätt. |
| ⊠ | = tål ej vattentvätt. Lämna till kem! |
| 30 | = tål vattentvätt upp till 30° |
| 60 | = tål vattentvätt upp till 60° |
| 95 | = tål vattentvätt upp till 95° |
| ⊠ | = får ej strykas. Dropptorka! |
| 🗏 | = tål strykas med svagaste värme. |
| 🗏 | = tål strykas med måttlig värme. |
| 🗏 | = tål strykas med hög värme. |
| ⊠ | = tål ej blekmedel. |
| △ | = tål klorblekmedel. |
| ⊠ | = tål ej kemtvätt. |
| ○ | = alla märken med ringar är upplysningar till kem-tvätterierna. |

## Dialog

| | |
|---|---|
| *Göran* | Hur mycket är klockan? |
| *Ulla* | Förlåt, jag hörde inte. |
| *Göran* | Jo, jag frågade hur mycket klockan är. |

133

## *Varför?*

Mats och hans mamma sitter ofta i vardagsrummet när de kommit hem. Mamma brukar läsa sagor för honom, och han kan sitta och lyssna i flera timmar.

Mats frågar ofta sin mamma varför sagorna alltid slutar som de gör. Han vill veta och förstå allt, som händer omkring honom. Han frågar Ingrid till exempel:

Varför heter jag Mats?

Varför blir det varmt, när solen skiner?

Varför måste jag borsta tänderna?

Varför måste jag sova?

Ingrid svarar och försöker förklara:

Du heter Mats, därför att jag tycker att det är ett vackert namn.

Solen är väldigt varm, och därför blir det också varmt, när den skiner på dig.

När du äter, fastnar matrester mellan tänderna, och därför måste du borsta dem.

Men nu måste du sova därför att det är kväll, och du ska stiga upp tidigt i morgon bitti.

# Grammatik
## Adverb — konjunktion: därför — därför att

Synonymer: därför att = eftersom = emedan

Mats måste borsta tänderna,
därför att de är smutsiga.

Solen skiner.
Därför är det varmt.

Mats måste gå och lägga sig,
eftersom det är kväll.

| huvudsats | adverb | huvudsats |
|---|---|---|
| Göran är sjuk. | **Därför** | stannar han hemma. |
| Åke är nygift. | **Därför** | är han lycklig. |

| huvudsats | konjunktion | bisats |
|---|---|---|
| Göran stannar hemma, | **därför att** | han är sjuk. |
| Åke är lycklig, | **därför att** | han är nygift. |

# Förlovningen

Svea Lindberg träffar Birgitta Svensson i trappuppgången på väg hem från banken, där hon städar. De stannar och pratar.

Birgitta   Har du hört den stora nyheten?

Svea   Vilken nyhet?

Birgitta   Bo och Monika har förlovat sig!

Svea   Nej, vad säger du!

Birgitta   Det gick precis som du sa häromveckan! Det står i tidningen idag.

Svea   Så roligt! Ska vi göra en liten insamling i huset och köpa en vacker blombukett till dem?

Birgitta   Ja, det måste vi göra. Alla vill säkert vara med.

Svea   Jag undrar, om de har bestämt, när de ska gifta sig. Sommarbröllop är trevligast, tycker jag.

Birgitta   Det får vi väl veta så småningom.

Svea   Tänk så romantiskt! De har bott i samma hus i tre år. Jag undrar just hur det började.

Birgitta   Du får väl fråga dem! Ska vi inte gå runt och samla in pengarna meddetsamma?

Svea   Ja, det är väl lika bra. Du tar de två nedersta våningarna i huset, så tar jag de tre översta. Kom upp till mig, när du har samlat in dina pengar, så dricker vi en kopp kaffe.

Birgitta   Ja tack. Det räcker väl med tio kronor per familj, eller hur?

Svea   Ja, det blir nog lagom.

# Grammatik

## Tempus

| | dåtid | | nutid | | framtid | |
|---|---|---|---|---|---|---|
| | **då** | **efter då** | **före nu** | **nu** | **sedan 1** | **sedan 2** |
| *Tid (tempus)* | Åke köpte en ny bil förra året. | | Åke har köpt en ny bil. | Åke har en ny bil.  <br>Nu har Åke en ny bil.  <br>Åke köper ofta ny bil. | När Åke har sparat 20 000:− | Åke ska köpa en ny bil nästa år.  <br>Åke kommer att köpa en ny bil nästa år.  <br>Åke köper en ny bil nästa år.  <br>ska han köpa en ny bil igen. |
| *Indirekt tal* | Åke sa i början av förra året  <br>Åke sa att han köpte ny bil förra året  <br>att han köpte ny bil förra året | att han skulle köpa ny bil | Åke har sagt  <br>att han har köpt en ny bil. | Åke säger att han har en bil.  <br>Åke säger  <br>Åke säger  <br>Åke säger | | att han ska köpa en ny bil nästa år  <br>att han ska köpa en ny bil nästa år |
| | *imperfekt* | **skulle** + *infinitiv* | *perfekt* | *presens* | *futuralt perfekt* | *futurum* |

137

# Influensa

Det var en helt vanlig fredagseftermiddag på Malmö Bilmekaniska Verkstad. Erik Svensson, som arbetade där som bilmekaniker, hade känt sig dålig hela dagen. Ibland frös han och ibland svettades han, och han hade ont i huvudet. När han avslutat arbetet på en bil, träffade han sin arbetskamrat Sven.

Sven   Vad du ser konstig ut? Hur är det fatt?

*Erik*   Jag känner mig inte riktigt bra.

Sven   Vad är det med dig? Har du ont någonstans?

*Erik*   Ja, jag har ont i huvudet, och jag fryser och svettas om vartannat. Jag tror att jag håller på att bli sjuk.

Sven   Din stackare! Du har då otur, som blir sjuk till veckoslutet. Har du huvudvärkstabletter?

*Erik*   Nej, det har jag inte. Jag brukar aldrig äta medicin och tabletter. Men jag ska gå in på apoteket på hemvägen och köpa en ask magnecyl.

Sven   Orkar du det då? Jag menar, kan du ta dig hem själv? Du ser ju väldigt dålig ut. Jag kör dig gärna hem.

*Erik*   Nej tack, du, så farligt är det inte. Jag klarar mig nog själv. Men tack i alla fall för erbjudandet.

På hemvägen köpte Erik huvudvärkstabletter, hostmedicin och vitaminpreparat. När han kom hem, hade han 39 graders feber. Han gick och lade sig, men han blev sämre på kvällen. Eftersom det är mycket svårt att få hem en läkare, körde Birgitta honom till jourläkarcentralen. Där fick han vänta en stund, innan han kom in till jourhavande läkaren. Läkaren undersökte honom och konstaterade att han hade fått influensa. Doktorn sjukskrev Erik i tio dagar och skrev ut ett recept på medicin. När Erik kom hem, somnade han genast och sov sedan i tolv timmar.

## Grammatik
*Dåtid : pluskvamperfekt − imperfekt*

| *Klockan fem* | *Klockan sex* | *Klockan sju* | *Klockan åtta* |
|---|---|---|---|
| Eva kom hem. | Hon lagade mat. | Hon åt middag. | Hon diskade. |

När Eva **hade kommit** hem, ⬚lagade⬚ hon mat.

Eva ⬚lagade⬚ mat, när hon **hade kommit** hem.

När Eva **hade ätit** middag, ⬚diskade⬚ hon.

Eva ⬚diskade,⬚ när hon **hade ätit** middag.

*dåtid*

| *före "då"* | *"då"* | *"då"* | *före "då"* |
|---|---|---|---|

När Åke hade sparat 50 000:−, ⬚köpte⬚ han en ny bil.

Åke ⬚sa⬚ igår, att han hade köpt ny bil.

## Dialog

Åke Hellström mår inte riktigt bra. Han känner att han måste gå till en läkare. Han letar upp telefonnumret till jourhavande distriktsläkare i telefonkatalogen och ringer dit.

| | |
|---|---|
| *Syster Ann-Mari* | Jourläkarmottagningen, syster Ann-Mari. |
| *Åke Hellström* | Godmiddag. Mitt namn är Åke Hellström. |
| *Syster Ann-Mari* | Godmiddag. |
| *Åke Hellström* | Jo, det är så att jag har feber och ont i halsen och huvudvärk. Jag mår inte alls bra. |
| *Syster Ann-Mari* | Har ni hög feber? |
| *Åke Hellström* | Ja, 39,2. |
| *Syster Ann-Mari* | Då är det bäst att ni kommer hit, så att doktorn får titta på er. |
| *Åke Hellström* | Ja tack, det var bra. |
| *Syster Ann-Mari* | Kan ni komma klockan 16.30? |
| *Åke Hellström* | Ja, det går bra. ▶ |

| | |
|---|---|
| *Syster Ann-Mari* | Och hur var namnet? |
| *Åke Hellström* | Åke Hellström. |
| *Syster Ann-Mari* | Adress och telefonnummer? |
| *Åke Hellström* | Storgatan 12, telefonnummer 11 77 20. |
| *Syster Ann-Mari* | Och personnummer? |
| *Åke Hellström* | 481117-2115. |
| *Syster Ann-Mari* | Ja, tack. Då är ni välkommen klockan halv fem. |
| *Åke Hellström* | Tack, adjö. |

Åke Hellströms personnummer är 481117-2115

ojämn siffra

## 48 11 17    2 1 1 5

de två sista siff-    siffrorna    siffrorna         kön  kontroll
rorna i födelseåret   för          för                    siffra
                      månaden      dagen        siffrorna för län

födelsedatum                       födelsenummer

Åke är född den 17 november 1948

ÖSTERGÖTLANDS LÄN

Åke är född i Östergötlands län (de tre
första siffrorna). Han är man. (Tredje
siffran är ojämn. Kvinnor får jämna siff-
ror: 0, 2, 4, 6, 8).

|  |  |  |  |  |  |  |  | 40 − 35 = 5 |
|---|---|---|---|---|---|---|---|---|
| 8 + | 8 + | 2 + | 1 + | 2 + | 7 + | 4 + | 1 + | 2 = 35 |
| = | = | = | = | = | = | = | = | = |
| 2 | 1 | 2 | 1 | 2 | 1 | 2 | 1 | 2 |
| × | × | × | × | × | × | × | × | × |
| 4 | 8 | 1 | 1 | 1 | 7 | 2 | 1 | 1 |

## Dialog

| | |
|---|---|
| *Ulla Nilsson* | Hej, Birgitta! |
| *Birgitta Svensson* | Hej, hej. Hur är det? |
| *Ulla Nilsson* | Tack, bara fint. Och du själv då? |
| *Birgitta Svensson* | Tack, jag mår bara bra. Men Erik har influensa. |
| *Ulla Nilsson* | Så synd då! |
| *Birgitta Svensson* | Ja, men han är redan på bättringsvägen. |
| *Ulla Nilsson* | Det var ju skönt. Hälsa honom så gott! |
| *Birgitta Svensson* | Tack, det ska jag göra. |
| *Ulla Nilsson* | Ja, hej då! |
| *Birgitta Svensson* | Hej, hej! |

# Framtidsplaner

Berit Nilsson är sjutton år och går i gymnasieskolans andra årskurs på den treåriga humanistiska linjen. När Berit har slutat gymnasieskolan, ska hon söka in på högskolan. Hon vill bli lärare på grundskolans högstadium, och hon tänker läsa svenska, historia och engelska. När Berit har avslutat sina studier vid högskolan, ska hon studera ett år vid lärarhögskolan, innan hon blir färdig lärare.

Berits lillebror Kalle går i årskurs 8 på grundskolans högstadium. När Kalle har slutat nionde klassen, tänker han söka in på gymnasieskolans fordonstekniska linje. Kalle vill bli bilmekaniker eller montör, som det också heter. När han har avslutat de två åren, vill han börja arbeta på en bilverkstad. Han kommer kanske att arbeta på samma verkstad som Erik Svensson, vem vet?

## Grammatik
### Futurum

| | | |
|---|---|---|
| *vilja* | Vad **ska** du göra i morgon? | Jag **ska** arbeta i morgon. |
| *avsikt* | Vad **tänker** du göra på semestern? | Jag **tänker** resa utomlands, om jag får råd. |
| *program* | När **kommer** höstterminen **att** sluta? | Höstterminen **kommer att** sluta den 21 december. |
| *två tider* | Vad **ska** du göra, **när** du har ätit? | Jag **ska** titta på tv, **när** jag har ätit. |

141

# Hissen har stannat

Kristina har varit ute och handlat till en fest, som hon och Monika ska ha för sina vänner. Kristina har fyra tunga kassar med mat och vin. Hon har svårt att få upp ytterdörren, men till slut lyckas hon komma in i trappuppgången med alla sina kassar. Hon ställer ner de tunga kassarna på golvet framför hissdörren och vilar sig, medan hon väntar på hissen. När den kommer, ställer hon kassarna på hissgolvet, stänger dörren och trycker på knappen till tredje våningen.

Hissen börjar gå uppåt, och Kristina öppnar sin väska för att ta fram nyckeln till lägenheten. Då stannar hissen plötsligt mellan andra och tredje våningen. Kristina trycker på alarmknappen, men ingenting händer. Hon trycker en gång till utan att någon hör det. Kristina känner att hon börjar bli nervös och orolig. Hon börjar skrika: "Hjälp, hjälp, hissen har fastnat!"

Men inte förrän efter en halvtimme hör Kristina äntligen någon, som går till hissdörren och nu står framför den på tredje våningen.

"Hjälp! Hissen står stilla, och jag kan inte komma ut!" ropar Kristina igen.

Det är Torsten Falk, som just har stannat vid hissdörren. Han talar lugnande till Kristina och går sedan in i sin lägenhet för att ringa efter en hissmontör, som kommer efter en stund. Han lagar hissen och släpper äntligen ut stackars Kristina.

# Grammatik

## Rumsadverb

| Eva är **hemma**. | Eva går **hem**. | Eva går **hemifrån**. |
|---|---|---|
| *befintlighet* | *riktning* | *ursprung* |
| hemma | hem | hemifrån |
| här | hit | härifrån |
| där | dit | därifrån |
| ute | ut, utåt | utifrån |
| utanpå, utanför | — | — |
| inne | in, inåt | inifrån |
| inuti, innanför | — | — |
| uppe | upp, uppåt | uppifrån |
| nere | ner = ned = nedåt | nerifrån |
| borta | bort | bortifrån |
| nära | nära | nära ifrån |
| framme | fram, framåt | framifrån |
|  | framlänges baklänges |  |

# Ord och uttryck

## Stå, stanna, ställa

*stå:* Åke **står** på golvet. Bilen **står** på gatan. Det **står** i tidningen.
*stanna:* Bussen **stannar** vid hållplatsen. Tåget **stannar** i Lund.
Eva **stannar hemma**.
*ställa:* Kristina **ställer** kassarna på golvet. Åke **ställer** bilen på gatan.
Barnen **ställer sig upp** för att se bättre.

# Berits månadspeng

Berit Nilsson får drygt 1000 kronor i studiebidrag per termin. Hon arbetar i en blomsteraffär på alla lov för att tjäna lite extra. Alla hennes pengar går till resor, kläder, grammofonskivor och nöjen. Hon får också 200 kronor i månaden av sin far.

En kväll ber hon honom om högre månadspeng, för hon tycker att hennes pengar inte räcker långt.

Göran   Högre månadspeng! Vad menar du? Du får ju redan 200 kronor i månaden. Tror du att jag är gjord av pengar?

Berit   Ja men alla andra får minst 250 kronor i månaden. Du vet inte hur dyrt det är att gå på diskotek.

Göran   Nej, det vet jag kanske inte. Men vad jag vet är att jag inte kan ge dig mera pengar. De andra i familjen måste också ha något att leva av. Menar du verkligen att alla andra får minst 250 kronor i månaden?

Berit   Ja, mina klasskamrater Eva och Peter får det i alla fall.

Göran   Kan det verkligen vara möjligt?

Ulla har suttit tyst och lyssnat på samtalet. Nu vänder Göran sig till henne.

| Göran | Ulla, vad säger du? |
|---|---|
| Ulla | Nja, jag vet inte vad jag ska säga. Allting har ju blivit dyrare. Men 250 kronor i månaden är mycket pengar. Det blir 3 000 kronor om året, bara i fickpengar. |
| Göran | 3 000 kronor. Det betyder i verkligheten mer än 6 000 kronor före skatt, och det är nästan en månadslön för mig. |
| Ulla | Ja, det är sant. Men jag vet hur mycket det betyder för ungdomen nuförtiden att kunna göra som alla andra. |
| Göran | Okej, vi gör en kompromiss. Du får 225 kronor i månaden, men då måste du städa köket och diska varje lördag, så att mamma får lite ledigt någon gång. Är vi överens om det? |
| Berit | Ja, det blir bra, tycker jag. |

## Ord och uttryck

*Kunna, veta, betyda, heta, mena*

| *kunna* | Bo **kan** tala engelska. Berit **kan** dansa bra. Göran **kan** köra bil. |
|---|---|
| *veta* | Ulla **vet** hur dyrt allting är. Åke **vet** inte, när Eva kommer. |
| *betyda* | Familjen **betyder** mycket för Erik. Det engelska ordet "car" **betyder** bil. |
| *heta* | Det svenska ordet "bil" **heter** "car" på engelska. Flickan **heter** Anna. |
| *mena* | Vad **menar** du med det! (=Varför gör du så?) **Menar** (=tror) du verkligen att det är sant? |

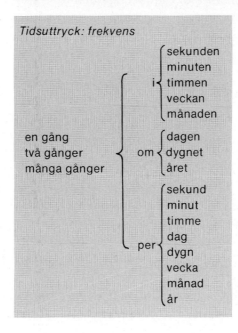

Tidsuttryck: frekvens

en gång
två gånger
många gånger

i { sekunden, minuten, timmen, veckan, månaden

om { dagen, dygnet, året

per { sekund, minut, timme, dag, dygn, vecka, månad, år

Hur ofta badar du?
Jag badar en gång i veckan.

# Ett flygande par

Sven Berg och Lena Nyman är inte gifta utan sammanbor i en trea på nedre botten på Storgatan 12. Båda är anställda vid det stora skandinaviska flygbolaget SAS. Sven är trafikflygare eller pilot och flyger stora plan till alla delar av världen.

Lena är flygvärdinna och hjälper passagerarna på flygresor. Båda har oregelbundna arbetstider och måste då och då arbeta på nätter och helgdagar. De tjänstgör inte på samma flygplan, utan ofta är Lena ledig, medan Sven arbetar, och tvärtom. Ibland kommer Sven hem, just när Lena ska gå, så att de bara hinner säga "Hej!" till varandra.

Men ibland har de tur och flyger med samma plan till någon trevlig semesterort i ett främmande land. Då kan de stanna där tillsammans någon eller några dagar i strålande väder, just när dagarna är som mörkast och kallast hemma i Sverige.

Lena och Sven har var sin bil, eftersom de måste kunna ta sig till flygplatsen Sturup, som ligger två mil utanför Lund, vid alla tider på dygnet. Sven har en stor Mercedes, medan Lena försöker hålla bensinkostnaderna nere genom att köra en liten bil.

Både Sven och Lena tycker att de har ett ansträngande och stressande men också omväxlande arbete. Varken Sven eller Lena skulle vilja byta arbete. De stortrivs med det, och de trivs också med att leva tillsammans utan att vara gifta.

# Grammatik
## Presens particip

*Presens particip är ett verbaladjektiv, som anger en aktiv handling.*

*verb på -a:* + **-nde**
*verb på annan vokal:* + **-ende**

| infinitiv | presens particip | |
|---|---|---|
| 1 arbeta | arbeta**nde** | En arbetande man är en man, som arbetar. |
| 2 leka | leka**nde** | Ett lekande barn är ett barn, som leker. |
| 3 bo | bo**ende** | En inneboende student är en student, som bor hos en familj. |
| 4 sova | sov**ande** | En sovande katt är en katt, som sover. |
| gå | gå**ende** | En gående är en person, som går till fots i trafiken. |

*Presens particip är ett oböjligt verbaladjektiv:*

| en | | man |
|---|---|---|
| ett | arbet**ande** | barn |
| många | | kvinnor |

*Presens particip förekommer ofta efter* **komma:**

| Eva kommer Eva kom | cyklande gående promenerande springande körande sjungande gråtande skrattande | på gatan. |
|---|---|---|

▶ **OBSERVERA!**

| | | *presens particip* |
|---|---|---|
| att ha = hava | havande |
| att bli = bliva | blivande |

En *havande* (= gravid) kvinna är en *blivande* mor.

▶ **OBSERVERA!**  En motor, som går tyst, är en **tystgående** motor.
Ett land, som exporterar vin, är ett **vinexporterande** land.
En läkare, som har jour, är en **jourhavande** läkare.
En bil, som är bakom, är en **bakomvarande** bil.
Ett djur, som äter kött, är ett **köttätande** djur.

# *Nya kläder*

Det är en höstkväll i mitten av oktober. Familjen Nilsson sitter och äter middag i köket. Det regnar och blåser ute, men inne i köket är lampan tänd, och det är varmt och skönt. De pratar om vädret och skolan och att det bara är två månader kvar till jul.

| | |
|---|---|
| *Ulla* | Ja, det märks verkligen att det är höst. Vi behöver förresten köpa lite nya kläder. |
| *Barnen* | Toppen, mamma! |
| *Göran* | Måste vi verkligen det? |
| *Ulla* | Ja, absolut! Barnen växer och sliter ut sina kläder, och du har blivit lite rundare om magen, lilla gubben! |
| *Göran* | Kan vi inte vänta till framåt jul? Genom att vi gör det, löser vi julklappsproblemet på samma gång. |
| *Kalle* | Nej, så dumt! Jag vill ha ett par nya jeans nu, sådana som Nisse har. |
| *Göran* | Du behöver väl inte ha det allra senaste modet. Det växlar ju så snabbt. |
| *Berit* | Jag måste ha en ny jacka. Jag fryser så på morgnarna! |
| *Kalle* | Och jag vill ha . . . |

# Semester

Kristina Sandberg och Monika Holm bor i samma lägenhet och arbetar på samma kontor, men de har olika intressen. Kristina ska åka till fjällen på skidsemester i morgon, och Monika ska åka till Tunisien på badsemester. De har köpt nya resväskor på rea. Resväskorna är likadana, men de packar ner olika saker i dem.

Kristina packar ner en tjock jacka, ett par varma byxor, varma underkläder, två tjocka tröjor, en stickad mössa, ett par yllevantar, en frostsalva, ett par skidglasögon, en tjock pyjamas och många andra saker.

Monika däremot packar bland annat ner en tunn kofta, ett par skor, tunna underkläder, två baddräkter, en solhatt, en solkräm, ett par solglasögon och ett tunt nattlinne.

De båda flickorna lägger sig tidigt på kvällen för att vakna pigga på resdagens morgon. Men de glömmer att ställa väckarklockan på ringning och vaknar mycket sent nästa morgon. De klär snabbt på sig, tar var sin resväska och rusar iväg.

De hinner precis med tåget till Jämtland och flyget till Tunisien. När de kommer fram, öppnar de de tunga resväskorna för att packa upp. Men då upptäcker de att Kristina har tagit Monikas väska, och Monika har tagit Kristinas!

I Monikas väska finns ingen tjock jacka, inga varma skidbyxor och ingen tjock pyjamas.

I Kristinas väska finns ingen solhatt, inget tunt nattlinne och inga baddräkter!

Vad i all världen ska de göra nu?

## Grammatik

### Ingen, inget, inga

**ingen, inget, inga** *står i huvudsats med ett verb i:*

| | | |
|---|---|---|
| | **ingen**<br>inte någon | cykel. |
| Erik har | **inget**<br>inte något | hus. |
| | **inga**<br>inte några | pengar. |

*I andra fall står* **inte någon, inte något, inte några:**

| | | | | |
|---|---|---|---|---|
| Birgitta säger | att Erik **inte** har | **någon** | cykel. |
| | | **något** | hus. |
| | | **några** | pengar. |

*bisats*

Erik vill **inte** skaffa **någon** cykel.
Erik har **inte** köpt **något** hus.
Erik brukar **inte** ha **några** pengar.

*huvudsats med flera verb*

Erik tar **inte** fram **någon** cykel.
Erik målar **inte** om **något** hus.
Erik sätter **inte** in **några** pengar på banken.

*huvudsats med sammansatta verb*

154

# Ord och uttryck

| | |
|---|---|
| *Likhet och olikhet* | |
| *samma (. . . som)* | Kristina bor i **samma** lägenhet **som** Monika<br>Kristina och Monika arbetar på **samma** kontor. |
| *likadan*<br>*likadant (. . . som)*<br>*likadana* | Kristina har en **likadan** väska **som** Monika.<br>Kristinas och Monikas väskor är **likadana.** |
| *likadant* = på samma<br>            sätt som | Torsten gör **likadant** som Greta. |
| *lik*<br>*vara likt* = likna<br>    *lika* | Barnen är **lika** föräldrarna. Barnen och<br>föräldrarna **liknar** varandra. |
| *olik*<br>*olikt*<br>*olika* | Kristina och Monika har **olika** intressen. |
| *komparativ + än* | Kristina är **äldre än** Monika. |
| *inte lika (. . . som)* | Kristina är **inte lika** gammal **som** Monika. |

# Dialog

*Svea*    Ha det så trevligt på semestern!
*Monika*  Tack ska du ha!
*Svea*    Du kan väl skicka ett kort?
*Monika*  Ja, det ska jag göra.

## Mycket att tänka på

Svea Lindberg ska åka och hälsa på en gammal vän över lördag och söndag. Hon har packat sin väska och klätt om sig, och nu sitter hon vid köksbordet och dricker en kopp kaffe, innan hon ska ge sig iväg.

Svea är alltid lite nervös, innan hon ska resa någonstans. För säkert hundrade gången går hon i tankarna igenom att allt är klart.

Väskan är packad och biljetten är köpt. Blommorna är vattnade och spisen avstängd. Strykjärnssladden är utdragen och kranarna stängda. Ljuset är släckt överallt. Hon har inte heller glömt att packa ner en present till sin goda vän Emma. "Det ska bli trevligt att träffa henne", tänker Svea. "Hon kan behöva få lite sällskap, stackaren, efter att ha legat på sjukhus i två veckor och varit sjukskriven i en månad. Det var synd att jag inte kunde hälsa på henne, medan hon låg inlagd på sjukhuset. Men nu ska det verkligen bli roligt att träffas igen", tänker Svea, medan hon tar sin väska och reser sig upp från stolen.

# Grammatik
## Perfekt particip

*Perfekt particip är ett verbaladjektiv, som anger ett resultat eller en egenskap.*

| | perfekt particip | perfekt | perfekt particip | perfekt particip |
|---|---|---|---|---|
| 1 | lagad<br>lagat<br>lagade | Han har lagat stolen.<br>Han har lagat bordet.<br>Han har lagat stolarna. | Stolen är lagad.<br>Bordet är lagat.<br>Stolarna är lagade. | Det är en lagad stol.<br>Det är ett lagat bord.<br>Det är lagade stolar. |
| 2A | stängd<br>stängt<br>stängda | Han har stängt dörren.<br>Han har stängt fönstret.<br>Han har stängt dörrarna. | Dörren är stängd.<br>Fönstret är stängt.<br>Dörrarna är stängda. | Det är en stängd dörr.<br>Det är ett stängt fönster.<br>Det är stängda dörrar. |
| 2B | köpt<br>köpt<br>köpta | Han har köpt bilen.<br>Han har köpt huset.<br>Han har köpt bilarna. | Bilen är köpt.<br>Huset är köpt.<br>Bilarna är köpta. | Det är en köpt bil.<br>Det är ett köpt hus.<br>Det är köpta bilar. |
| 3 | sydd<br>sytt<br>sydda | Hon har sytt klänningen.<br>Hon har sytt skärpet.<br>Hon har sytt kläderna. | Klänningen är sydd.<br>Skärpet är sytt.<br>Kläderna är sydda. | Det är en sydd klänning.<br>Det är ett sytt skärp.<br>Det är sydda kläder. |
| 4 | skriven<br>skrivet<br>skrivna | Han har skrivit boken.<br>Han har skrivit brevet.<br>Han har skrivit böckerna. | Boken är skriven.<br>Brevet är skrivet.<br>Böckerna är skrivna. | Det är en skriven bok.<br>Det är ett skrivet brev.<br>Det är skrivna böcker. |
| 4 | sedd<br>sett<br><br>sedda | Han har sett filmen.<br>Han har sett programmet.<br><br>Han har sett filmerna. | Filmen är sedd.<br>Programmet är sett.<br><br>Filmerna är sedda. | Det är en ofta sedd film.<br>Det är ett ofta sett program.<br>Det är ofta sedda filmer. |
| 4 | gjord<br>gjort<br>gjorda | Han har gjort stolen.<br>Han har gjort arbetet.<br>Han har gjort stolarna. | Stolen är gjord.<br>Arbetet är gjort.<br>Stolarna är gjorda. | Det är en gjord stol.<br>Det är ett gjort arbete.<br>Det är gjorda stolar. |

# Ord och uttryck

Svea reser till sin väninna Emma.

Svea reser sig upp från stolen.

# *Ulla Nilssons städdag*

Det är fredag, och det är Ulla Nilssons städdag. Hon har städat hela våningen och kommer till sist in i Kalles rum. Där stannar hon vid dörren och tittar förskräckt in i hans rum.

En obäddad säng står vid fönstret och den nerdragna rullgardinen. Ett par smutsiga byxor ligger kastade i en hög på golvet tillsammans med en ostruken, skrynklig skjorta och några trasiga strumpor. På Kalles skrivbord ligger en avbruten penna och ett halvätet äpple, och det står två halvt urdruckna mjölkglas på bordet. Under sängen ligger en hög utlästa tidningar och ett par fotbollsskor, nersmutsade av lera.

När Ulla går in i rummet, håller hon på att trampa på några kringströdda grammofonskivor. Ljuset är fortfarande tänt, gardinerna fördragna och radion står påsatt.

"Nej minsann", tänker Ulla för sig själv, går ut ur rummet och slänger igen dörren med en smäll. "Här får han städa själv!"

# Grammatik
## Perfekt particip av sammansatta verb

|  | infinitiv | perfekt particip | | |
|---|---|---|---|---|
| 1 | smutsa ner | nersmutsa**d** nersmutsa**t** nersmutsa**de** | Han har smutsat ner skjortan. Han har smutsat ner rummet. Han har smutsat ner skorna. | Skjortan är nersmutsa**d**. Rummet är nersmutsa**t**. Skorna är nersmutsa**de**. |
| 2A | stänga av | avstäng**d** avstäng**t** avstäng**da** | Han har stängt av TV:n. Han har stängt av kylskåpet. Han har stängt av apparaterna. | TV:n är avstäng**d**. Kylskåpet är avstäng**t**. Apparaterna är avstäng**da**. |
| 2B | läsa ut | utläs**t** utläs**t** utläs**ta** | Han har läst ut boken. Han har läst ut brevet. Han har läst ut böckerna. | Boken är utläs**t**. Brevet är utläs**t**. Böckerna är utläs**ta**. |
| 3 | sy fast | fastsy**dd** fastsy**tt** fastsy**dda** | Hon har sytt fast knappen. Hon har sytt fast skärpet. Hon har sytt fast knapparna. | Knappen är fastsy**dd**. Skärpet är fastsy**tt**. Knapparna är fastsy**dda**. |
| 4 | dricka ur | urdruck**en** urdruck**et** urdruck**na** | Han har druckit ur mjölken. Han har druckit ur glaset. Han har druckit ur glasen. | Mjölken är urdruck**en**. Glaset är urdruck**et**. Glasen är urdruck**na**. |
| | sätta på | påsa**tt** påsa**tt** påsa**tta** | Han har satt på TV:n. Han har satt på kylskåpet. Han har satt på apparaterna. | TV:n är påsa**tt**. Kylskåpet är påsa**tt**. Apparaterna är påsa**tta**. |

# Birgitta bakar

En dag i veckan brukar Birgitta Svensson baka. Då bakar hon både bröd och kakor. Det blir mycket billigare än att köpa dem. Hela familjen tycker om att äta sötsaker och småkakor. Till kaffet brukar Erik och Birgitta äta sockerkaka. Birgitta har flera olika kokböcker, som står på hyllan i köket med massor av recept. Här är det recept som hon brukar baka sina sockerkakor efter.

---

*INGREDIENSER*

*2 ägg*

*2 dl socker*

*2 1/2 dl vetemjöl*

*2 tsk bakpulver*

*1 dl mjölk*

*50 g margarin*

*1 tsk rivet citronskal*

Ägg och socker vispas kraftigt, helst med elektrisk visp. En citron rivs på ett rivjärn, och det rivna citronskalet blandas i.

Vetemjölet blandas med bakpulver och hälls i mjölken. Margarinet smälts i en kastrull och hälls i smeten. Smeten blandas försiktigt. En form smörjs och bröas.

Smeten hälls sedan i formen. Låt kakan stå i ugnen och gräddas i 40 minuter med en temperatur på 175 grader.

Lite florsocker strös på den färdiga kakan.

---

# Grammatik
## Passiv

|   | infinitiv | presens | imperfekt | supinum | futurum |
|---|-----------|---------|-----------|---------|---------|
| 1 | vispa<br>vispas | vispar<br>vispas | vispade<br>vispades | vispat<br>vispats | ska vispa<br>ska vispas |
| 2A | hälla<br>hällas | häller<br>häll(e)s | hällde<br>hälldes | hällt<br>hällts | ska hälla<br>ska hällas |
| 2B | steka<br>stekas | steker<br>stek(e)s | stekte<br>stektes | stekt<br>stekts | ska steka<br>ska stekas |
| 3 | strö<br>strös | strör<br>strös | strödde<br>ströddes | strött<br>strötts | ska strö<br>ska strös |
| 4 | smörja<br>smörjas | smörjer<br>smörj(e)s | smorde<br>smordes | smort<br>smorts | ska smörja<br>ska smörjas |
|   | + -s | -r ➜ -s | + -s | + s | + s |

*aktiv:*    Birgitta bakar kakan.      Man talar svenska i Sverige.

*passiv:*   Kakan bakas av Birgitta.     Svenska talas i Sverige.

                       *agent*

# En sommarstuga

Familjen Svensson har en sommarstuga i Småland. Det är ett litet hus, som är drygt 100 år gammalt. Stugan har elektricitet men ingen toalett inomhus. Den finns i ett litet rött hus på gården.

Birgitta har ärvt stugan av sina småländska släktingar. Det kostar visserligen ganska mycket att ha sommarstuga, men familjen Svensson vill ändå ha den kvar.

Stugan ligger inne i skogen vid en sjö. Huset är visserligen ganska litet, det har bara två rum och kök, men det räcker i alla fall till för familjens behov. Tomten däremot, som är på knappt 6 000 kvadratmeter, är mycket stor.

Familjen har en roddbåt vid stranden. Erik och Olle tycker om att ro ut på sjön och fiska. Det finns nämligen ganska mycket fisk i sjön, och i augusti brukar de fånga kräftor där.

Anna och Karin tycker om att simma och bada i sjön, där vattnet blir ganska varmt på sommaren, omkring 22 grader.

I trädgården finns det fruktträd, som ger äpplen, päron och körsbär. Birgitta har en köksträdgård med potatis och grönsaker. Hon älskar att pyssla i trädgården, medan Erik gärna målar, snickrar och reparerar huset.

Den lilla stugan i Småland är familjen Svenssons paradis.

# Grammatik
## Formellt subjekt

formellt subjekt

| obestämt substantiv | + | rörelseverb positionsverb |
|---|---|---|

| Det | + | rörelseverb positionsverb | + | obestämt substantiv |
|---|---|---|---|---|

En pojke cyklar på gatan. → Det cyklar en pojke på gatan.
Några barn springer i parken. → Det springer några barn i parken.
En tavla hänger på väggen. → Det hänger en tavla på väggen.
Inga bilar står på parkeringsplatsen. → Det står inga bilar på parkeringsplatsen

formellt
subjekt

Det kostar 30:– kronor att gå på bio.
Det dröjer innan sommaren kommer.
Det lönar sig att köpa på rea.
Det behövs mycket tid till språkstudier.
Det föds för lite barn i Sverige.
Det märks att han är trött.
Det syns att hon är sjuk.

formellt
subjekt

Det luktar gott i köket.
Det ringer på telefonen.
Det knackar på dörren.
Det går bra.
Det spelar ingen roll.
Det känns varmare idag.
Det beror på priset.

# Ord och uttryck

*visserligen . . . men . . . i alla fall/ändå (inte)*

Göran är **visserligen** förkyld, **men** han arbetar **i alla fall.**

Åke har **visserligen** hög lön,
**Visserligen** har Åke hög lön,    **men** han får **ändå inte** så mycket kvar efter skatt.

Bo har **visserligen** studerat engelska länge,
**Visserligen** har Bo studerat engelska länge,    **men** han talar **ändå inte** perfekt.

*drygt* = lite mer än    Huset är **drygt** 100 år gammalt.
*knappt* = lite mindre än    Åke tjänar **knappt** 7 000 kronor.

# Borta bra men hemma bäst

Sven Berg och Lena Nyman, det sammanboende paret, har hela världen som arbetsplats. Ibland kan det dröja ganska länge, innan de båda får en gemensam ledighet. Det brukar de fira genom att skaffa ett gott vin och laga en extra god middag. Sedan sitter de i vardagsrummet vid ett vackert dukat bord och äter och dricker länge. De pratar om var de har varit och vart de ska åka nästa gång.

*Lena*  Usch, vad det är kallt i Sverige! Jag kommer direkt från Bangkok. Där var det varmt, kan du tro.

*Sven*  Ja, det kan jag tänka mig. Det var säkert lite skönare väder, när jag var där i januari.

*Lena*  Säkert. Varifrån kommer du nu?

*Sven*  Jag kommer direkt från New York. Där var det ungefär likadant som här.

*Lena*  I tisdags var jag i Lissabon, och på torsdag ska jag åka dit igen.

*Sven*  Jag flyger till Rom på fredag. Det ska bli trevligt. Jag har inte varit där på flera månader. Jag ska stanna där i två dagar.

*Lena*  Jag brukar komma till Rom ungefär en gång i månaden. Det är en underbar stad. Hur har du det förresten till jul och nyår? Ska du arbeta under de helgerna?

Sven Jag är faktiskt ledig över nyårshelgen.

Lena Fantastiskt! Det är jag också. Det blir den första helgen på länge, som vi båda är lediga.

Sven Ja, du var ledig i påskas och jag i pingstas. Men vi hade en fin semester tillsammans i somras, eller hur?

Lena Jovisst. Du, ska vi inte ta en veckas semester i vinter och åka skidor någonstans?

Sven Jo, jag skulle gärna vilja ha skidsemester en gång om året, om det går. Men du, vi stannar i Sverige. Vi åker ingenstans!

# Grammatik

## Tidsuttryck

| ← förfluten tid | nutid ● | framtid → |
|---|---|---|
| för tre år sedan | nu | om tre år |
| förr = förut = tidigare | nu | |
| i fjol = förra året | i år | nästa år |
| häromdagen | idag | om några dagar |
| i våras | (nu) i vår | i vår, nästa vår |
| i söndags | denna söndag | nästa söndag |
| i påskas | i påsk | i påsk, nästa påsk |
| i förrgår, igår | idag | i morgon, i övermorgon |
| i morse, i förmiddags | | i eftermiddag, i kväll |
| igår ⎱ ⎰morse<br>i förrgår ⎬ ⎨förmiddag<br>i torsdags ⎰ ⎩eftermiddag<br> kväll | | i morgon bitti<br>i övermorgon förmiddag<br>på torsdag eftermiddag<br> kväll |
| nyligen, nyss | (just) nu | strax, snart |

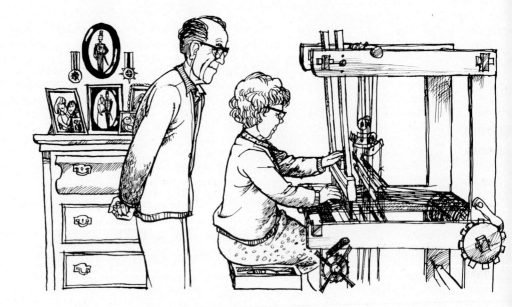

# Guldbröllop

Torsten och Greta Falk har snart varit gifta i 50 år. De har bott på många olika platser i "vårt avlånga land". Torsten har varit militär och har helt gått upp i sitt arbete, så att Greta har fått nästan allt ansvar för hushållet och barnens uppfostran. Trots att Greta har haft det arbetsamt många gånger, har hon sett det som sin uppgift att ta hand om man och barn.

Fastän Greta har sekreterarutbildning, har hon inte arbetat utanför hemmet, sedan barnen föddes. Innan Greta gifte sig, arbetade hon fyra år på ett kontor. Hon trivdes med sitt arbete, men hon saknade det inte, förrän barnen började bli vuxna och flyttade hemifrån. Då började hon tänka på att gå tillbaka till arbetslivet igen.

Men det blev aldrig av. Hon fyllde sin längre fritid genom att gå på kurser och lära sig väva. Det har med åren blivit många vackra dukar och tyger, som hon har kunnat ge sina barn och barnbarn i present på olika högtidsdagar.

På vårarna och höstarna ger Greta sig ofta ut i naturen för att samla växter, som hon sedan färgar garn med. Eftersom Torsten också tycker om att vara i naturen, följer han ofta med.

Gretas och Torstens två döttrar har båda skaffat sig familj och yrkesutbildning. Den ena är sjuksköterska och den andra banktjänsteman. De skulle inte kunna tänka sig att "bara" vara hemmafruar, som deras mor har varit.

Om några månader kommer hela släkten att samlas för att vara med om när Greta och Torsten firar sitt guldbröllop efter femtio års äktenskap.

# Grammatik
## Satsbyggnad: konjunktioner

*Orsakskonjunktioner:* **eftersom, emedan, därför att**

| Eva badar, | eftersom<br>emedan<br>därför att | vattnet är varmt |
|---|---|---|
| *huvudsats* | | *bisats* |

| Eftersom<br>Emedan | vattnet är varmt, | badar Eva. |
|---|---|---|
| *bisats* | | *huvudsats* |

*Motsatskonjunktioner:* **trots att    fastän    fast**

| Eva badar, | trots att<br>fastän<br>fast | vattnet är kallt. |
|---|---|---|
| *huvudsats* | | *bisats* |

| Trots att<br>Fastän<br>Fast | vattnet är kallt, | badar Eva. |
|---|---|---|
| *bisats* | | *huvudsats* |

 **OBSERVERA!**     **trots** *är en preposition, som står före substantiv*

Olle badar **trots** regnet. = Olle badar, **trots** att det regnar.
**Trots** regnet badar Olle. = **Trots** att det regnar, badar Olle.

# Det var i Paris som Åke träffade Eva

I maj för två år sedan reste Åke till Frankrike på tjänsteresa. Han flög från Sturup till Paris, för det var där som han skulle delta i en konferens.

När Åke hade kommit fram och tagit in på sitt hotell, blev han hungrig och gick ut för att äta en bit mat. Han hittade en trevlig restaurang, och det var där, som han träffade Eva — sin blivande fru.

Eva hade nämligen också flugit till Paris med en charterresa för att uppleva våren. Hon och hennes väninnor hade gått ut på en restaurang, som resebyrån hade rekommenderat. Det var just den restaurangen, som Åke hade funnit, och det var då, som deras liv förändrades. När Åke hörde Eva tala svenska med sina väninnor, frågade han, om han fick slå sig ner vid deras bord. Både Åke och Eva kände från början att de tyckte om varandra, eller — som man också brukar säga — det blev kärlek vid första ögonkastet.

Det var i Paris som de fann varandra, och det blev i Lund som de fann arbete och bostad. Sedan dröjde det inte länge förrän de gifte sig, och nu lever de lyckliga och älskar varandra fortfarande.

## Grammatik
### Emfatisk omskrivning

*Normal ordföljd:* **Sport**

| Olle | tvättar | bilen | på gatan | idag. |
|------|---------|-------|----------|-------|
| *subjekt* | *predikat* | *objekt* | *rums-* | *tids-* |
| | | | *adverb* | *adverb* |

*Emfatisk omskrivning med* **Det är/var . . . som**

**Det är** Olle, **som** tvättar bilen på gatan idag. Det är inte Erik.
**Det är** bilen **(som)** Olle tvättar på gatan idag. Det är inte cykeln.
**Det är** på gatan **(som)** Olle tvättar bilen idag. Det är inte i garaget.
Tvättar bilen gör Olle på gatan idag. Han lagar inte cykeln.

**OBSERVERA**

*proverbet* **göra!** Tvättar Olle bilen? Ja, det **gör** han.
Tvätta bilen, men **gör** det ordentligt!

## En bilolycka

Om vädret är vackert och solen skiner, stiger Lena genast upp ur
sängen på morgonen. Men om det regnar och är kallt, ligger hon
kvar så länge som möjligt. Då brukar Sven väcka henne, om han
redan är uppe.

En dag i höstas vaknade Lena mycket sent och måste skynda sig
för att hinna i tid till sitt arbete. Hon hann inte äta frukost utan tog
väskan med bilnycklarna, rusade ner till bilen och körde iväg. Men
hon hade inte kört långt, förrän hon plötsligt råkade ut för en olycka.
I en gatukorsning kom en annan bil med släckta lampor från höger.
Lena såg inte bilen i tid utan körde rakt på den. Lyckligtvis blev inga
människor utan bara bilarna skadade, och de måste föras bort från
platsen av en bärgningsbil.

Om Lena inte hade kört så fort, skulle hon ha hunnit stanna, och
om den andra bilen hade haft ljuset tänt, skulle Lena kanske ha sett
den i tid.

# Grammatik
## Konditionalis

*Nutid: händelsen är verklig (real) eller kan förverkligas (realiseras).*

Skiner solen?    Då leker barnen utomhus.

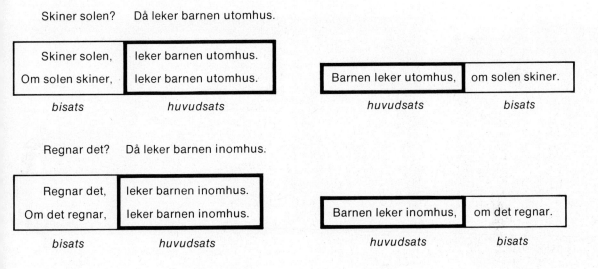

| Skiner solen, | leker barnen utomhus. |
| Om solen skiner, | leker barnen utomhus. |
| *bisats* | *huvudsats* |

| Barnen leker utomhus, | om solen skiner. |
| *huvudsats* | *bisats* |

Regnar det?    Då leker barnen inomhus.

| Regnar det, | leker barnen inomhus. |
| Om det regnar, | leker barnen inomhus. |
| *bisats* | *huvudsats* |

| Barnen leker inomhus, | om det regnar. |
| *huvudsats* | *bisats* |

Om Åke vinner 50 000, ska han köpa ny bil. = Om Åke vann 50 000, skulle han köpa ny bil.
Åke ska köpa ny bil, om han vinner 50 000. = Åke skulle köpa ny bil om han vann 50 000.

*Dåtid: Händelsen är inte verklig (irreal) och kan inte förverkligas (realiseras).*

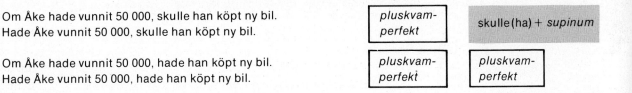

Om Åke hade vunnit 50 000, skulle han köpt ny bil.
Hade Åke vunnit 50 000, skulle han köpt ny bil.

| *pluskvam-perfekt* | skulle(ha) + *supinum* |

Om Åke hade vunnit 50 000, hade han köpt ny bil.
Hade Åke vunnit 50 000, hade han köpt ny bil.

| *pluskvam-perfekt* | *pluskvam-perfekt* |

−OM INTE "OM" HADE
FUNNITS, HADE JAG
VARIT MILJONÄR IDAG.

## Ett rån

Eva och Åke Hellström sitter och dricker kaffe och läser tidningen på balkongen en söndagsförmiddag. Eva läser del 1 av tidningen, och som vanligt studerar Åke ivrigt sportsidorna i del 2.

Eva  Usch, så hemskt!

Åke  Vad då?

Eva  Nu har det hänt igen. En äldre människa har blivit rånad på gatan. Man kan snart inte gå ut på kvällarna. Hör här!

''Fru Matilda Jakobsson, 68 år, blev igår kväll brutalt nerslagen och rånad. Hon var vid tiotiden på kvällen på väg hem från en teaterföreställning på Folkets Hus i Lund. När hon passerade stadsparken, slog en man ner henne och ryckte till sig hennes handväska, innehållande ungefär hundra kronor, och försvann springande därifrån. Fru Jakobsson blev skadad i huvudet, ena armen och benet, när hon föll mot trottoaren. Ett ungt par, som var ute med hunden, fann henne liggande på marken och larmade genast polis och ambulans. Hon blev snabbt förd till Lunds lasarett, där det visade sig att ena benet hade blivit brutet, och att hon hade fått lättare skador i huvudet och vänster arm. Hon kunde inte ge någon beskrivning av den, som hade slagit ner henne, men en äldre man meddelade senare på kvällen att han hade sett en yngling i tjugoårsåldern komma springande från stadsparken. Han kunde också beskriva mannens utseende så noga, att ynglingen greps senare på natten i en poliskontroll." Är det inte förskräckligt?

*Åke* Jo, visst är det det. Men du, Eva, behöver verkligen inte vara rädd för att bli rånad. En väskryckare vågar inte ge sig på unga och starka människor som du – och han blir ju ändå tagen av polisen förr eller senare.

## Grammatik

### Passiv

*Passiv bildas med* **-s**, *när* ***handlingen*** *betonas:*

Bilen lagade**s** på verkstaden igår för 500:– kronor.

*Passiv bildas med* ***bliva*** *+ perfekt particip, när* ***resultatet*** *betonas:*

Bilen **blev** laga**d** igår, så nu kan jag köra med den igen.

| | *infinitiv* | *presens* | *imperfekt* | *perfekt/pluskvamperfekt* | *futurum* |
|---|---|---|---|---|---|
| 1 | laga**s**<br>bli laga**d** | laga**s**<br>blir laga**d** | lagade**s**<br>blev laga**d** | har/hade lagat**s**<br>har/hade blivit laga**d** | ska laga**s**<br>ska bli laga**d** |
| 2A | föra**s**<br>bli för**d** | för(e)**s**<br>blir för**d** | förde**s**<br>blev för**d** | har/hade fört**s**<br>har/hade blivit för**d** | ska föra**s**<br>ska bli för**d** |
| 2B | möta**s**<br>bli mö**tt** | möt(e)**s**<br>blir mö**tt** | mötte**s**<br>blev mö**tt** | har/hade mött**s**<br>har/hade blivit mö**tt** | ska möta**s**<br>ska bli mö**tt** |
| 3 | sy**s**<br>bli sy**dd** | sy**s**<br>blir sy**dd** | sydde**s**<br>blev sy**dd** | har/hade sytt**s**<br>har/hade blivit sy**dd** | ska sy**s**<br>ska bli sy**dd** |
| 4 | slå**s** ner<br>bli nerslag**en** | slå**s** ner<br>blir nerslag**en** | slog**s** ner<br>blev nerslag**en** | har/hade slagit**s** ner<br>har/hade blivit nerslag**en** | ska slå**s** ner<br>ska bli nerslag**en** |

*Presens particip:*

Mamma finner barnet **sovande** i sängen.
Barnet försvinner **springande.**
Barnet kommer **springande.**

*Objekt med infinitiv:*

Åke { ser / hör / märker } Eva, som kommer. → Åke { ser / hör / märker } Eva komma.

## Allemansrätten

Anna Svensson är tretton år och scout sedan tre år tillbaka. Anna älskar att vara ute i skog och mark. Hon studerar djuren och naturen, hon lär sig klara sig själv och att hjälpa andra. ''En scout är alltid redo!'', säger hon.

Idag ska Anna lära sig vad allemansrätten betyder. Hon sitter vid köksbordet och berättar för mamma, som lyssnar på sin dotter, medan hon bakar matbröd.

Allemansrätten betyder att man får:

1 tälta en natt utan att fråga den, som äger marken om lov att göra det;
2 göra upp eld på lämplig plats vid lämplig tid;
3 plocka bär, blommor och svamp;
4 passera en grind, om man stänger den efter sig;
5 bada överallt utom vid en annans tomt eller brygga;
6 cykla på vägar och stigar, som inte går över en tomt.

Men man får inte:

1 göra upp eld, om det kan bli skogsbrand, eller om mark och växter skadas;
2 tälta på tomt eller nära hus. Om man tältar mer än ett dygn, måste man be markägaren om tillstånd att göra det;
3 bada vid en annans tomt eller brygga;
4 använda någons brunn utan tillstånd eller gå genom odlad mark och plantering, så att den skadas;
5 ta grenar och löv från växande träd eller fågelägg och fågelbon. Man får inte heller plocka fridlysta växter.

Mamma säger till Anna: "Så duktig du är! Man blir så glad, när man hör att ens barn lär sig nyttiga saker. Och jag har också själv lärt mig något nytt. Man lär så länge man lever!"

# Grammatik
## Man, en, ens/sin, sitt, sina

*subjektsform:* **man**
*genitivform:* **ens** *eller* **sin, sitt, sina**
*objektsform:* **en**

När **man** passerar en gräns med **sin** bil, kontrollerar tullmannen **ens** bagage och frågar **en**, om **man** har något att deklarera i **sina** väskor.

## ordningstal

1 för det första
2 för det andra
3 för det tredje
4 för det fjärde

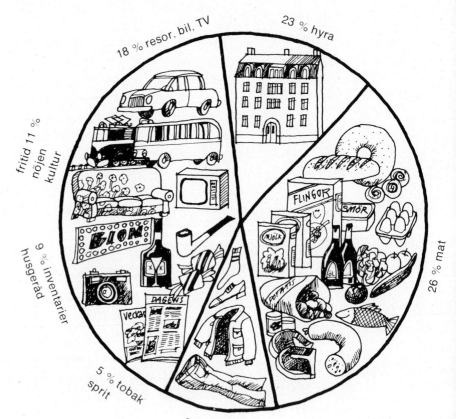

18 % resor, bil, TV

23 % hyra

fritid 11 % nöjen kultur

9 % inventarier husgeråd

26 % mat

5 % tobak sprit

8 % kläder

**Familjen Nilssons budget**

| INKOMSTER | | UTGIFTER | |
|---|---|---|---|
| Görans lön | 85 000 | Hyra | 22 800 |
| Ullas lön | 50 000 | Mat | 25 700 |
| Barnbidrag | 4 800 | Kläder | 7 900 |
| Studiebidrag | 2 000 | Sprit och tobak | 5 000 |
| | | Inventarier, husgeråd | 8 900 |
| Bruttoinkomst | 141 800 | Fritid, nöjen, kultur | 10 900 |
| ./. skatt | 42 800 | Resor, bil, TV | 17 800 |
| Nettoinkomst | 99 000 | | 99 000 |

# Inkomster och utgifter

Människorna, som bor i huset på Storgatan 12, bildar tio hushåll. Den ekonomiska situationen är inte likadan i alla hushållen utan växlar från familj till familj.

Några personer, till exempel Svea Lindberg och paret Hellström, lever bara på sina löner. Om de blir sjuka, får de sjukpenning från försäkringskassan. Men andra personer kan ha andra inkomster. Ingrid Ek, som är frånskild, får till exempel underhåll för sonen Mats av sin före detta make. Torsten och Greta Falk är pensionärer och lever på sina pensioner. Bo Ek, som studerar vid högskolan, får studiemedel av staten. Det är pengar, som han måste betala tillbaka, när han har studerat färdigt och börjar tjäna pengar.

Familjer med barn under 16 år får barnbidrag. Olle Svensson och Berit Nilsson, som är äldre än 16 år men fortfarande går i skolan, får studiebidrag.

Man kan också få bostadsbidrag som hjälp att betala höga hyror. Ju lägre inkomsten är, desto större bostadsbidrag får man.

Bo, som inte har någon inkomst, slipper betala skatt, vilket de andra måste göra. Ju högre inkomst man har, desto högre blir också skatten. Senast den 15 februari varje år måste inkomsterna för föregående år deklareras på en särskild deklarationsblankett. Miljoner svenskar sitter då och suckar, när de försöker fylla i de krångliga blanketterna.

Familjen Nilsson betalar ungefär knappt en tredjedel av lönen i direkt skatt. I december samma år får man tillbaka pengar om man har betalat in för mycket skatt under föregående år. Har man betalat för lite, måste man betala resten under de fyra första månaderna följande år.

Sverige har världens högsta skatter, och svenskarna betalar också skatt när de köper varor i affärerna. Det är en indirekt skatt på cirka 23 procent som kallas "moms".

## Grammatik
### ju ... desto

ju + *komparativ*, **desto** + *komparativ*

| *bisats* | *huvudsats* |
|---|---|
| **Ju** högre inkomst man har, | **desto** högre blir skatten. |
| **Ju** vackrare vädret är, | **desto** flera människor åker ut och badar. |

## Substantivens form efter vissa ord

▶▶ **OBSERVERA!** *Efter orden* samma, följande, nästa, föregående, *genitiv och possessiva pronomen har substantiven obestämd form:*

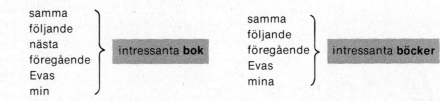

samma
följande
nästa
föregående
Evas
min
} intressanta **bok**

samma
följande
föregående
Evas
mina
} intressanta **böcker**

### Räkneord: bråktal

| | |
|---|---|
| 1/3 en tredjedel | 2/3 två tredjedelar |
| 1/4 en fjärdedel | 3/4 tre fjärdedelar |
| 1/9 en niondel | 5/9 fem niondelar |

# Jämlikhet, valfrihet och samverkan

Sverige är ett typiskt invandrarland, dit många människor från nästan hela världen har kommit — inte bara som turister utan för att stanna en längre tid, ja kanske för hela livet.

Med invandrare menar man en person, som är bosatt i Sverige, men som är eller har varit utländsk medborgare.

Under de sista trettio åren har nämligen över 300 000 av invandrarna blivit svenska medborgare. Det sker genom SIV, Statens Invandrarverk i Norrköping. Svensk medborgare kan en invandrare bli efter högst fem års vistelse i Sverige. Då ska man kunna visa att man kan klara sig på svenska. Det är viktigt för ens egen skull och för att få kontakt med andra svenskar i samhället att försöka lära sig så mycket svenska som möjligt.

Finländare, jugoslaver, danskar, norrmän, västtyskar, greker, engelsmän, italienare, amerikaner och turkar är de största grupperna bland invandrarna. Bland dem finns också politiska flyktingar, som bl. a. genom Förenta Nationerna har kommit till Sverige från länder med svåra förhållanden.

Svenskarna har genom riksdagen bestämt att målen för invandringspolitiken ska vara JÄMLIKHET, VALFRIHET och SAMVERKAN. Invandrarna ska ha samma möjligheter, rättigheter och skyldigheter

som svenskarna. De ska betala samma skatter och få samma förmå-
ner som svenskarna. De ska själva kunna välja vad de vill behålla av
sin egen kultur. I skolan får t. ex. barnen hemspråksundervisning, så
länge de vill. Invandrarna och svenskarna måste lära känna varand-
ras kulturer för att kunna förstå varandra och samarbeta.

## Grammatik
### Jämförelsekonjunktioner

| | |
|---|---|
| så . . . som | Barnen gör **så som** mamma har sagt. |
| | Jasna försöker lära sig **så** mycket **som** möjligt. |
| | Kör **så** försiktigt **(som)** du kan! |
| | Eva sover **så** länge **(som)** hon vill. |
| lika . . . som | Åke kör **lika** fort **som** Eva (brukar göra). |

## Ord och uttryck
### Förkortningar

| | | | | |
|---|---|---|---|---|
| AB | aktiebolag | | LO | Landsorganisationen |
| AMS | arbetsmarknadsstyrelsen | | m | meter |
| ATP | allmän tilläggspension | | m.fl. | med flera |
| bl.a. | bland annat | | m.m. | med mera |
| cl | centiliter | | moms | mervärdesskatt |
| cm | centimeter | | obs! | observera |
| DN | Dagens Nyheter | | o.d., | |
| dvs. | det vill säga | | o.dyl. | och dylikt |
| etc. | et cetera | | osv. | och så vidare |
| f. | född | | SBP | AB Svensk Bilprovning |
| f.n. | för närvarande | | SIV | Statens Invandrarverk |
| FN | Förenta Nationerna | | s.k. | så kallad/kallat/kallade |
| fr. | fröken; fru | | t.ex. | till exempel |
| g. | gift | | tfn, tel. | telefon |
| i st. f. | i stället för | | tr. | trappa, trappor |
| kg | kilo | | t.v. | tills vidare |
| km | kilometer | | ung. | ungefär |
| kr | kronor | | | |

# Grammatisk översikt


**Substantiv**   *Regelbundna   Oregelbundna   Grundform och genitiv*
**Adjektiv**   *Regelbundna  Oregelbundna  Komparation*
**Pronomen**   *Personliga Reflexiva Possessiva Relativa Interrogativa*
**Räkneord**   *Grundtal  Ordningstal  Bråktal  Sifferuttryck*
**Adverb**   *Adverbbildning  Tidsuttryck*
**Verb**   *Regelbundna Oregelbundna Deponens Passiv Presens particip*
**Tempus och modus**  *Tempus  Indirekt tal  Konditionalis*
**Satsfogning och konjunktioner** *Huvudsats  Bisats  Konjunktioner*
**Ordföljd**   *Huvudsats  Bisats*

# SUBSTANTIV

## Regelbundna

| | Singular | | Plural | | ordtyp |
|---|---|---|---|---|---|
| | obestämd form | bestämd form | obestämd form | bestämd form | |
| 1 | en lampa | lampan | **-or** lampor | lamporna | Flerstaviga **en**-ord på-a |
| 2 | en bil<br>en pojke | bilen<br>pojken | **-ar** bilar<br>pojkar | bilarna<br>pojkarna | Enstaviga **en**-ord på konsonant<br>Flerstaviga **en**-ord på -e |
| 3 | en fabrik<br>en sko<br>ett parti | fabriken<br>skon<br>partiet | **-(e)r** fabriker<br>skor<br>partier | fabrikerna<br>skorna<br>partierna | Flerstaviga slutbetonade ord |
| 4 | ett piano | pianot | **-n** pianon | pianona | **ett**-ord på vokal |
| 5 | ett hus<br>en lärare | huset<br>läraren | hus<br>lärare | husen<br>lärarna | **ett**-ord på konsonant<br>**en**-ord på -are |

## Oregelbundna

| | obestämd form | bestämd form | obestämd form | bestämd form | |
|---|---|---|---|---|---|
| 2 | en cykel<br>en syster<br>en dotter<br>en mor,moder | cykeln<br>systern<br>dottern<br>modern | cyklar<br>systrar<br>döttrar<br>mödrar | cyklarna<br>systrarna<br>döttrarna<br>mödrarna | axel fågel sedel stövel vigsel växel<br>faster finger förälder jumper<br>orkester teater vinter åker<br>mormor farmor |
| 3 | en bok | boken | böcker | böckerna | dagbok kartbok kokbok lärobok<br>nybörjarbok plånbok sagobok |
| | en fot | foten | fötter | fötterna | morot |
| | en hand | handen | händer | händerna | land rand strand natt stad<br>verkstad huvudstad |
| | ett museum | museet | museer | museerna | |
| | en motor | motorn | motorer | motorerna | doktor traktor |
| 4 | ett öga | ögat | ögon | ögonen | öra |
| 5 | ett fönster<br>ett nummer | fönstret<br>numret | fönster<br>nummer | fönstren, fönsterna<br>numren, nummerna | |
| | en musiker | musikern | musiker | musikerna | belgier mekaniker indier iranier |
| | en man | mannen | män | männen | engelsman fästman<br>landsman tjänsteman |
| | en far, fader | fadern | fäder | fäderna | farfar morfar |
| | en bror,broder | brodern | bröder | bröderna | farbror morbror |

*Grundform:*   en bil   bilen   bilar   bilarna   Eva   Lars   Max   Liz
*Genitiv:*   en bils   bilens   bilars   bilarnas   Evas   Lars'   Max'   Liz'

# ADJEKTIV
## Regelbundna

| en | ett | många |
|----|-----|-------|
| stor | stort | stora |

## Oregelbundna

| en | ett | många | |
|----|-----|-------|---|
| enkel | enkelt | enkla | adjektiv på -el: dubbel |
| mogen | moget | mogna | adjektiv på -en: nyfiken vuxen välkommen |
| vacker | vackert | vackra | adjektiv på -er: mager |
| gammal | gammalt | gamla | |
| liten | litet | lilla/små | |
| blå | blått | blå(a) | fri grå ny |
| röd | rött | röda | bred död glad sned |
| målad | målat | målade | particip på -ad: lagad |
| hård | hårt | hårda | blond förkyld känd nöjd rund skild såld värd |
| kort | kort | korta | adjektiv på konsonant + -t: gift lätt tyst |
| bra | bra | bra | adjektiv på -a, -e, -s: extra främmande gratis |

## Regelbunden komparation

| fin | finare | finast | |
|-----|--------|--------|---|
| enkel | enklare | enklast | adjektiv på -el |
| mogen | mognare | mognast | adjektiv på -en |
| vacker | vackrare | vackrast | adjektiv på -er |

+ e: den finaste bilen

## Oregelbunden komparation

| hög | högre | högst | trång | trängre | trängst |
|-----|-------|-------|-------|---------|---------|
| stor | större | störst | dålig | sämre | sämst |
| tung | tyngre | tyngst | | värre | värst |
| ung | yngre | yngst | bra | bättre | bäst |
| få | färre | (inga) | gammal | äldre | äldst |
| låg | lägre | lägst | liten | mindre | minst |
| lång | längre | längst | många | flera | flest |

+ a: den största bilen

| adjektiv på -isk: | praktisk | mer(a) praktisk | mest praktisk |
|---|---|---|---|
| adjektiv på -e: | förtjusande | mer(a) förtjusande | mest förtjusande |
| perfekt particip: | intresserad | mer(a) intresserad | mest intresserad |

## Adjektiv + substantiv

*Singular*

| | | | |
|---|---|---|---|
| en<br>någon<br>ingen<br>vilken<br>varje | **fin** | | bil |
| ett<br>något<br>inget<br>vilket | **fint** | *finare* | hus |
| den<br>det (här, där) | *fina* | *finare* | *finaste* · *största* | bil**en**<br>hus**et** |
| Evas<br>min, din ...<br>denna<br>samma<br>nästa<br>följande<br>mitt, ditt ...<br>detta | *fina* | | *finaste* · *största* | bil<br>hus |

*Plural*

| | | | |
|---|---|---|---|
| inga<br>få<br>några<br>flera<br>många<br>alla<br>vilka<br>27 | *fina* | *finare* | | bilar<br>hus |
| de (här, där) | *fina* | *finare* | *finaste* · *största* | bilar**na**<br>hus**en** |
| Evas<br>mina, dina ...<br>dessa<br>samma<br>följande | | | *finaste* · *största* | bilar<br>hus |

## Substantiv + adjektiv

| | | | | | | | | |
|---|---|---|---|---|---|---|---|---|
| en/min/denna bil<br>bilen | **är** | **fin** | **finare** | **finast** | **störst** | **mer(a)** | **mest** | **praktisk** |
| ett/mitt/detta hus<br>huset | **är** | **fint** | **finare** | **finast** | **störst** | **mer(a)** | **mest** | **praktiskt** |
| inga/mina/dessa<br>bilarna | **är** | **fina** | **finare** | **finast** | **störst** | **mer(a)** | **mest** | **praktiska** |

# PRONOMEN

## Personliga pronomen

| | | | | |
|---|---|---|---|---|
| | jag | träffar | mig | |
| | du | | dig | |
| (pojken) → | han | talar med | honom | |
| (flickan) → | hon | bor hos | henne | |
| (bilen, katten) → | den | | den | |
| (huset, barnet) → | det | får mat av | det | |
| | vi | ger mat till | oss | |
| | ni | | er | |
| | de | ger | dem mat | |

## Reflexiva pronomen

| | | |
|---|---|---|
| jag | tvättar | mig |
| du | roar | dig |
| han | rakar | sig |
| hon | kammar | sig |
| den | solar | sig |
| det | klär på | sig |
| vi | gifter | oss |
| ni | sätter | er |
| de | lär | sig |

## Possessiva pronomen

| en | ett | många | | Reflexiv form |
|---|---|---|---|---|
| min | mitt | mina | ← jag | han äter **sin** mat **sitt** kött **sina** bullar |
| din | ditt | dina | ← du | |
| hans | hans | hans | ← han → | hon äter **sin** mat **sitt** kött **sina** bullar |
| hennes | hennes | hennes | ← hon → | |
| dess | dess | dess | ← den → | den äter **sin** mat **sitt** kött **sina** bullar |
| dess | dess | dess | ← det → | |
| vår | vårt | våra | ← vi | det äter **sin** mat **sitt** kött **sina** bullar |
| er | ert | era | ← ni | |
| deras | deras | deras | ← de → | de äter **sin** mat **sitt** kött **sina** bullar |

## Relativa pronomen

som

| huvudsats | huvudsats |
|---|---|
| Åke har en bil. | Den är ny. |
| Åke har en bil, | som är ny. |
| huvudsats | bisats |

Kalle har en katt. Han leker med **den**.
Kalle har en katt, **som** han leker med.

vars – vilkas

Kalle har en katt. Kattens namn är Måns.
Kalle har en katt, **vars** namn är Måns.
Föräldrarna, **vilkas** barn är stora, arbetar båda.
*om hel sats:* **vilket**

Familjen har bil, **vilket** är praktiskt.

## Interrogativa pronomen

| huvudsats | bisats |
|---|---|
| **Vem** bor här? | Åke frågar **vem som** bor här. |
| *subjekt* | *subjekt* |
| **Vem** talar Eva med? | Åke undrar **vem** Eva talar med. |
| **Vilken** bil är bäst? | Erik vill veta **vilken** bil som är bäst. |
| **Vilket** rum bor Kalle i? | Eva frågar **vilket** rum Kalle bor i. |
| **Vilka** barn är hemma? | Erik undrar **vilka** barn som är hemma. |
| **Vad** gör Ulla? | Göran vill veta **vad** Ulla gör. |

# RÄKNEORD

## Grundtal

| | | |
|---|---|---|
| 0 | noll | |
| 1 | en, ett | |
| 2 | två | |
| 3 | tre | |
| 4 | fyra | |
| 5 | fem | |
| 6 | sex | |
| 7 | sju | |
| 8 | åtta | |
| 9 | nio | |
| 10 | tio | |
| 11 | elva | |
| 12 | tolv | |
| 13 | tretton | |
| 14 | fjorton | |
| 15 | femton | |
| 16 | sexton | |
| 17 | sjutton | |
| 18 | arton | |
| 19 | nitton | |
| 20 | tjugo | |
| 21 | tjugoen, tjugoett | |
| 22 | tjugotvå | |
| 30 | trettio | |
| 40 | fyrtio | |
| 50 | femtio | |
| 60 | sextio | |
| 70 | sjuttio | |
| 80 | åttio | |
| 90 | nittio | |
| 100 | (ett) hundra | |
| 123 | (ett) hundratjugotre | |
| 200 | tvåhundra | |
| 1 000 | (ett) tusen | |
| 10 000 | tiotusen | |
| 100 000 | hundratusen | |
| 123 456 | hundratjugotretusen fyrahundrafemtiosex | |
| 1 000 000 | en miljon | |

## Ordningstal

nollte
första
andra
tredje
fjärde
femte
sjätte
sjunde
åttonde
nionde
tionde
elfte
tolfte
trettonde
fjortonde
femtonde
sextonde
sjuttonde
artonde
nittonde
tjugonde
tjugoförsta
tjugoandra
trettionde
fyrtionde
femtionde
sextionde
sjuttionde
åttionde
nittionde
hundrade
hundratjugotredje
tvåhundrade
tusende
tiotusende
hundratusende
hundratjugotretusen fyrahundrafemtiosjätte
miljonte

## Bråktal

| | | | | |
|---|---|---|---|---|
| 1/2 | en halv | 1/5 | en femtedel |
| 1/3 | en tredjedel | 1/6 | en sjättedel |
| 2/3 | två tredjedelar | 4/7 | fyra sjundedelar |
| 1/4 | en fjärdedel | 1/10 | en tiondel |
| | | 1 1/2 | en och en halv |

**Telefonnummer:** 046 – 12 34 56
riktnummer noll fyrtiosex
abonnentnummer tolv trettiofyra femtiosex

**Postnummer:** 222 38 tvåhundratjugotvå trettioåtta

**Personnummer:** 481117 – 2115 fyrtioåtta elva sjutton tjugoett femton

### Veckodagar:

| | |
|---|---|
| söndag | torsdag |
| måndag | fredag |
| tisdag | lördag |
| onsdag | |

### Månader:

| | |
|---|---|
| januari | juli |
| februari | augusti |
| mars | september |
| april | oktober |
| maj | november |
| juni | december |

## Matematik

| | |
|---|---|
| $2+3=5$ | två plus/och tre är fem |
| $7-4=3$ | sju minus fyra är tre |
| $3\times4=12$ | tre gånger fyra är tolv |
| $18:3=6$ | arton delat med tre är sex |
| 3,75 | tre komma sjuttiofem |
| 36,8 | trettiosex och åtta *(temperatur)* |

## Priser

| | |
|---|---|
| 0:10 | tio öre |
| 0:50 | femtio öre |
| 1:– | en krona |
| 1:50 | en (krona) och femtio (öre) |
| 56:30 | femtiosex (kronor) och trettio (öre) |

## Klockslag

| | |
|---|---|
| 03.05 | tre och fem/noll tre noll fem |
| 14.29 | fjorton och tjugonio |

## Datum

| | |
|---|---|
| 4/9 | den fjärde i nionde |

## Årtal

| | |
|---|---|
| 1981 | nittonhundraåttioett |
| 1900-talet | nittonhundratalet |

# ADVERB

*Många adverb bildas av adjektivets form på* **-t:**

|  | adjektiv | adverb |
|---|---|---|
| Eva | är vacker | |
| Huset | är vacker**t** → | vacker**t** |
| Flickorna | är vackra | |
| Huset | är ovanlig**t** → | ovanlig**t** |

Eva sjunger vackert.

Eva är vackert klädd.

Eva är ovanligt vacker.

Eva är ovanligt vackert klädd.

## Tidsuttryck

### När?

| Eva arbetade<br>i måndags  i förrgår  igår | Eva arbetar<br>idag | Eva ska arbeta<br>i morgon  i övermorgon  på söndag |
|---|---|---|
| igår<br>i förrgår } morse<br>förmiddag<br>eftermiddag<br>i måndags } kväll | | i morgon bitti  på lördag morgon<br><br>i morgon } förmiddag<br>på lördag } eftermiddag<br>kväll |
| häromdagen = för några dagar sedan<br>häromveckan = för några veckor sedan<br>häromåret = för några år sedan<br>för tre år sedan | | om några dagar<br>om några veckor<br>om några år<br>om fem minuter |
| i våras<br>i somras  i påskas<br>i höstas  i pingstas<br>i vintras  i julas | (nu) i sommar<br>(nu) i påsk | i vår<br>i sommar  i påsk<br>i höst  i pingst<br>i vinter  i jul |
| nyligen  nyss | (just) nu | strax  snart |
| Eva brukar arbeta<br><br>Eva brukar sova | på morgonen<br>på förmiddagen<br>på eftermiddagen } på dagen<br>på kvällen<br>på natten | |

**Hur länge?**

Eva har arbetat (**i**) åtta månader.
Eva har **inte** haft semester **på** åtta månader.
Eva arbetar (**i**) sex timmar varje dag.

**Hur lång tid tar det att** laga bilen?

Det tar två timmar att laga bilen.
Verkstaden lagar bilen **på** två timmar.

**Hur ofta?**

| | | | | |
|---|---|---|---|---|
| en gång | i | sekunden | | alltid |
| två gånger | | minuten | om | dagen | ofta |
| många gånger | | timmen | | dygnet | ibland=då och då |
| | | veckan | | året | sällan |
| | | månaden | | | aldrig |

188

# VERB
## Regelbundna verb
### Grupp 1, 2, 3

| infinitiv | imperativ | presens | imperfekt | supinum | perfekt particip | | |
|---|---|---|---|---|---|---|---|
| 1 måla | måla! | målar | målade | målat | målad | målat | målade |

| | infinitiv | imperativ | presens | imperfekt | supinum | perfekt particip | | |
|---|---|---|---|---|---|---|---|---|
| 2A | stänga | stäng! | stänger | stängde | stängt | stängd | stängt | stängda |
| | hyra | hyr! | hyr | hyrde | hyrt | hyrd | hyrt | hyrda |
| | höra | hör! | hör | hörde | hört | hörd | hört | hörda |
| | köra | kör! | kör | körde | kört | körd | kört | körda |
| | lära (sig) | lär (dig) | lär (sig) | lärde (sig) | lärt (sig) | lärd | lärt | lärda |
| | (an)vända | (an)vänd! | (an)vänder | (an)vände | (an)vänt | (an)vänd | (an)vänt | (an)vända |
| | sända | sänd! | sänder | sände | sänt | sänd | sänt | sända |
| | tända | tänd! | tänder | tände | tänt | tänd | tänt | tända |
| 2B | köpa | köp! | köper | köpte | köpt | köpt | köpt | köpta |
| | gifta sig | gift dig! | gifter | gifte | gift | gift | gift | gifta |
| | lyfta | lyft! | lyfter | lyfte | lyft | lyft | lyft | lyfta |
| 3 | sy | sy! | syr | sydde | sytt | sydd | sytt | sydda |

## Oregelbundna verb
### Grupp 4

| infinitiv | imperativ | presens | imperfekt | supinum | perfekt particip | | |
|---|---|---|---|---|---|---|---|
| be | be! | ber | bad | bett | ombedd | ombett | ombedda |
| binda | bind! | binder | band | bundit | bunden | bundet | bundna |
| bita | bit! | biter | bet | bitit | biten | bitet | bitna |
| bjuda | bjud! | bjuder | bjöd | bjudit | bjuden | bjudet | bjudna |
| bli(va) | bli! | blir | blev | blivit | nybliven | nyblivit | nyblivna |
| brinna | brinn! | brinner | brann | brunnit | brunnen | brunnet | brunna |
| bryta | bryt! | bryter | bröt | brutit | bruten | brutet | brutna |
| bära | bär! | bär | bar | burit | buren | buret | burna |
| böra | — | bör | borde | bort | — | — | — |
| dra(ga) | dra(g)! | drar | drog | dragit | dragen | draget | dragna |
| dricka | drick! | dricker | drack | druckit | drucken | drucket | druckna |
| dö | dö! | dör | dog | dött | utdöd | utdött | utdöda |
| falla | fall! | faller | föll | fallit | fallen | fallet | fallna |
| finna | finn! | finner | fann | funnit | funnen | funnet | funna |
| finnas | — | finns | fanns | funnits | — | — | — |
| flyga | flyg! | flyger | flög | flugit | bortflugen | bortfluget | bortflugna |
| frysa | frys! | fryser | frös | frusit | frusen | fruset | frusna |
| få | få! | får | fick | fått | andfådd | andfått | andfådda |
| försvinna | försvinn! | försvinner | försvann | försvunnit | försvunnen | försvunnet | försvunna |
| ge | ge! | ger | gav | gett | given | givet | givna |

▶

| infinitiv | imperativ | presens | imperfekt | supinum | perfekt particip | | |
|---|---|---|---|---|---|---|---|
| gråta | gråt! | gråter | grät | gråtit | förgråten | förgråtet | förgråtna |
| gå | gå! | går | gick | gått | gången | gånget | gångna |
| göra | gör! | gör | gjorde | gjort | gjord | gjort | gjorda |
| ha | ha! | har | hade | haft | medhavd | medhaft | medhavda |
| hinna | hinn! | hinner | hann | hunnit | upphunnen | upphunnet | upphunna |
| hålla | håll! | håller | höll | hållit | hållen | hållet | hållna |
| komma | kom! | kommer | kom | kommit | kommen | kommet | komna |
| kunna | kan! | kan | kunde | kunnat | – | – | – |
| le | le! | ler | log | lett | – | – | – |
| ligga | ligg! | ligger | låg | legat | förlegad | förlegat | förlegade |
| låta | låt! | låter | lät | låtit | tillåten | tillåtet | tillåtna |
| lägga | lägg! | lägger | la, lade | lagt | lagd | lagt | lagda |
| njuta | njut! | njuter | njöt | njutit | njuten | njutet | njutna |
| (vara tvungen) | – | måste | måste | måst | tvingad | tvingat | tvingade |
| rinna | rinn! | rinner | rann | runnit | runnen | runnet | runna |
| se | se! | ser | såg | sett | sedd | sett | sedda |
| sitta | sitt! | sitter | satt | suttit | nersutten | nersuttet | nersuttna |
| sjunga | sjung! | sjunger | sjöng | sjungit | sjungen | sjunget | sjungna |
| sjunka | sjunk! | sjunker | sjönk | sjunkit | sjunken | sjunket | sjunkna |
| skina | skin! | skiner | sken | skinit | – | – | – |
| skjuta | skjut! | skjuter | sköt | skjutit | skjuten | skjutet | skjutna |
| skola | – | ska, skall | skulle | skolat | – | – | – |
| skrika | skrik! | skriker | skrek | skrikit | – | – | – |
| skriva | skriv! | skriver | skrev | skrivit | skriven | skrivet | skrivna |
| skära | skär! | skär | skar | skurit | skuren | skuret | skurna |
| slippa | slipp! | slipper | slapp | sluppit | uppsluppen | uppsluppet | uppsluppna |
| slå | slå! | slår | slog | slagit | slagen | slaget | slagna |
| slåss | slåss! | slåss | slogs | slagits | – | – | – |
| snyta | snyt! | snyter | snöt | snutit | snuten | snutet | snutna |
| sova | sov! | sover | sov | sovit | utsövd | utsövt | utsövda |
| springa | spring! | springer | sprang | sprungit | bortsprungen | bortsprunget | bortsprungna |
| sticka | stick! | sticker | stack | stuckit | stucken | stucket | stuckna |
| stiga | stig! | stiger | steg | stigit | uppstigen | uppstiget | uppstigna |
| stjäla | stjäl! | stjäl | stal | stulit | stulen | stulet | stulna |
| stryka | stryk! | stryker | strök | strukit | struken | struket | strukna |
| stå | stå! | står | stod | stått | förstådd | förstått | förstådda |
| säga | säg! | säger | sa, sade | sagt | sagd | sagt | sagda |
| sälja | sälj! | säljer | sålde | sålt | såld | sålt | sålda |
| sätta | sätt! | sätter | satte | satt | satt | satt | satta |
| ta | ta! | tar | tog | tagit | tagen | taget | tagna |
| vara | var! | är | var | varit | – | – | – |
| veta | vet! | vet | visste | vetat | – | – | – |
| vilja | vill! | vill | ville | velat | – | – | – |
| vinna | vinn! | vinner | vann | vunnit | vunnen | vunnet | vunna |
| välja | välj! | väljer | valde | valt | vald | valt | valda |
| vänja | vänj! | vänjer | vande | vant | vand | vant | vanda |
| äta | ät! | äter | åt | ätit | uppäten | uppätet | uppätna |

# Deponens

| infinitiv | imperativ | presens | imperfekt | supinum |
|-----------|-----------|---------|-----------|---------|
| andas | andas! | andas | andades | andats |
| fattas | | fattas | fattades | fattats |
| finnas | | finns | fanns | funnits |
| hoppas | hoppas! | hoppas | hoppades | hoppats |
| lyckas | | lyckas | lyckades | lyckats |
| låtsas | låtsas! | låtsas | låtsades | låtsats |
| saknas | | saknas | saknades | saknats |
| svettas | svettas! | svettas | svettades | svettats |
| träffas | träffas! | träffas | träffades | träffats |
| vistas | vistas! | vistas | vistades | vistats |
| födas | | föds | föddes | fötts |
| hjälpas åt | hjälps åt! | hjälps åt | hjälptes åt | hjälpts åt |
| kännas | | känns | kändes | känts |
| minnas | minns! | minns | mindes | mints |
| märkas | märks! | märks | märktes | märkts |
| skiljas | skiljs! | skiljs | skildes | skilts |
| trivas | trivs! | trivs | trivdes | trivts |

## Passiv

| | infinitiv | presens | imperfekt | supinum | futurum |
|---|-----------|---------|-----------|---------|---------|
| 1 | målas | målas | målades | målats | ska målas |
| 2A | stängas | stäng(e)s | stängdes | stängts | ska stängas |
| | hyras | hyr(e)s | hyrdes | hyrts | ska hyras |
| | användas | använd(e)s | användes | använts | ska användas |
| 2B | köpas | köp(e)s | köptes | köpts | ska köpas |
| 3 | sys | sys | syddes | sytts | ska sys |
| 4 | skrivas | skriv(e)s | skrevs | skrivits | ska skrivas |
| | ses | ses | sågs | setts | ska ses |
| | göras | görs | gjordes | gjorts | ska göras |

med **bli** + perfekt particip:

att bli målad   blir målad   blev målad   blivit målad   ska bli målad

Aktiv: Verkstaden målar bilen. *Passiv:* Bilen $\frac{\text{målas}}{\text{blir målad}}$ av verkstaden.

## Presens particip

*Infinitiv på* **-a:** + **nde:** mål**ande**

*Infinitiv på annan vokal:* + **ende:** gå**ende**

ha ➜ havande      bli ➜ blivande

# TEMPUS OCH MODUS

| | dåtid | | | nutid | | framtid | |
|---|---|---|---|---|---|---|---|
| *före då* | **då** | *efter då* | *före nu* | **nu** | **sedan 1** | **sedan 2** | |

| | | | | | | | |
|---|---|---|---|---|---|---|---|
| *Tid (tempus)* | | | | Åke har en ny bil. | | Åke ska köpa en ny bil nästa år. | |
| | Åke köpte en ny bil förra året. | | Åke har köpt en ny bil. | Nu har Åke en ny bil. | | Åke kommer att köpa en ny bil nästa år. | |
| | | | | Åke köper ofta ny bil. | | Åke köper en ny bil nästa år. | |
| När Åke hade sparat 50 000:– | köpte han en ny bil. | | | | När Åke har sparat 20 000:– | ska han köpa en ny bil igen. | |
| *Indirekt tal* | | | | Åke säger att han har en bil. | | | |
| | Åke sa i början av förra året | att han skulle köpa ny bil | Åke har sagt | | | att han ska köpa en ny bil nästa år | |
| att han hade köpt en ny bil. | Åke sa igår | | | Åke säger | | att han ska köpa en ny bil nästa år | |
| | Åke sa att han köpte ny bil förra året | | att han har köpt en ny bil. | Åke säger | | | |
| | att han köpte ny bil förra året | | | Åke säger | | | |
| *Villkor (konditionalis)* | men det gjorde han inte | Åke skulle köpa ny bil förra året | | Om Åke vinner 100 000:– | | ska han köpa en Mercedes. | |
| Om Åke hade vunnit 100 000:– | | skulle han ha köpt en Mercedes. | | Om Åke vinner 100 000:– köper han en Mercedes. | | | |
| | Om Åke vann 100 000:– | skulle han köpa en Mercedes. | | | | | |
| *pluskvamperfekt* | *imperfekt* | **skulle** + *infinitiv* | *perfekt* | *presens* | *futuralt perfekt* | *futurum* | |

192

# SATSFOGNING OCH KONJUNKTIONER

| HUVUDSATS subjekt + predikat | konjunktion | BISATS (subjekt + predikat) | konjunktion | BISATS (subjekt + predikat) | HUVUDSATS (predikat + subjekt) |
|---|---|---|---|---|---|
| **tid** 17.00 Eva diskar, | **när** **sedan** **då** | 16.00 hon har ätit. | **När** **Sedan** **Då** | Eva har ätit, | diskar hon. |
| 16.00 Eva äter, | **innan** | hon diskar. 17.00 | **Innan** | Eva diskar, | äter hon. |
| 16.00 Eva lyssnar på radio, | **medan** **när** **då** | 16.00 hon äter. | **Medan** **När** **Då** | Eva äter, | lyssnar hon på radio. |
| Olle väntar, | **tills** | Eva kommer. | | | |
| Olle går inte, | **förrän** | Eva kommer. | | | |
| **orsak** Eva badar, | **eftersom** **emedan** **då** **därför att** | vattnet är varmt. | **Eftersom** **Emedan** **Då** | vattnet är varmt, | badar Eva. |
| **motsats** Eva badar, | **trots att** **fast(än)** **även om** | vattnet är kallt. | **Trots att** **Fastän** **Även om** | vattnet är kallt, | badar Eva. |
| **villkor** Eva badar, | **om** **ifall** | vattnet är varmt. | **Om** **Ifall** | vattnet är varmt, | badar Eva. |
| **avsikt** Åke kör fort, | **för att** | han ska hinna fram. | **För att** | hinna fram | kör Åke fort. |
| **följd** Åke körde fort, | **så att** | han hann fram. | | | |
| Åke körde **så** fort, | **att** | han hann fram. | **Så** fort körde Åke | **att** | han hann fram. |
| **jämförelse** Eva blir smalare, | **ju** mer(a) | hon bantar. | **Ju** mer(a) Eva bantar, | **ju** **desto** | slankare blir hon. |
| Åke kör **så, som** | | Eva säger. | | | |
| Åke kör **lika** fort **som** | | Eva (brukar göra). | | | |
| **sätt** Åke kom hem, | **utan att** | Eva märkte det. | **Utan att** | Eva märkte det, | kom Åke hem. |
| Bo klarade examen | **genom att** | han studerade mycket. | **Genom att** | Bo studerade mycket, | klarade han examen. |
| **påstående** Åke säger | **att** | Eva kommer. | | | |
| **fråga** Åke frågar | **om** | Eva kommer. | | | |

| HUVUDSATS | konjunktion | HUVUDSATS | HUVUDSATS | HUVUDSATS (predikat + subjekt) |
|---|---|---|---|---|
| Åke läser, | **och** | Eva skriver. | Eva kommer, | säger Åke. |
| Eva skriver, | **och** | Åke läser. | Kommer Eva? | frågar Åke. |
| Åke är sjuk, | **men** | han arbetar ändå i alla fall trots det | | |
| Åke är hemma, | **för** | han är sjuk. | | |

# ORDFÖLJD
## Ordföljd i huvudsats

| 1 | 2 | 3 | 4 | 5 | 6 | 7 | |
|---|---|---|---|---|---|---|---|
| subjekt<br>objekt<br>adverb<br>bisats | verb 1 | subjekt | sats-<br>adverb | verb 2<br>(partikel) | objekt | adverb | |
| | | | | | | rum | tid |
| Åke | läser | – | alltid | – (genom) | tidningen | i sängen | på morgonen. |
| Eva | tar | – | alltid | – på | sig kläderna | i rummet | på morgonen. |
| Tidningen | läser | Åke | alltid | – (genom) | | i sängen | på morgonen. |
| Kläderna | tar | Eva | alltid | – på | sig | i rummet | klockan 7. |
| Eva | brukar | – | ofta | sätta (fram) | vin | på bordet | till middag. |
| På bordet | brukar | Eva | ofta | sätta (fram) | vin | – | till middag. |
| Åke | har | – | inte | tvättat (av) | bilen | på gatan | idag. |
| Idag | har | Åke | inte | tvättat (av) | bilen | på gatan | |
| | Läser | Åke | alltid | (genom) | tidningen | i sängen | på morgonen? |
| | Tar | Eva | alltid | på | sig kläderna | i rummet | på morgonen? |
| | Brukar | Eva | ofta | sätta (fram) | vin | på bordet | till middag? |
| Vem | har | – | inte | tvättat (av) | bilen | på gatan | idag? |
| När | brukar | Eva | – | sätta (fram) | vin | på bordet? | |
| Varför | har | Åke | inte | tvättat (av) | bilen | på gatan | idag? |
| När han har vaknat | läser | Åke | alltid | – (genom) | tidningen | i sängen | på morgonen. |
| Om hon är törstig | brukar | Eva | ofta | sätta (fram) | vin | på bordet | till middag. |
| Eftersom det regnar | har | Åke | inte | tvättat (av) | bilen | på gatan | idag. |
| | Sätt | – | inte | – (fram) | vin | på bordet! | |
| | Ta | – | inte | – på | dig kläderna | i rummet | klockan 7! |

## Ordföljd i bisats

| | 1 | 2 | 3 | 4 | 5 | 6 | 7 |
|---|---|---|---|---|---|---|---|
| huvudsats | bisatsord | sub-<br>jekt | | verb 1 | | | |
| Eva badar | när | Åke | – | läser | – (genom) | tidningen | i sängen | på morgonen. |
| Åke sover | medan | Eva | – | brukar | ta på | sig kläderna | i rummet | klockan 7. |
| Åke är glad | därför att | Eva | ofta | brukar | sätta (fram) | vin | på bordet | till middag. |
| Bilen är ful | eftersom | Åke | inte | har | tvättat (av) | den | på gatan | idag. |
| Eva säger | att | Åke | inte | har | tvättat (av) | den | på gatan | idag. |
| Eva frågar | om | Åke | alltid | läser | (genom) | tidningen | i sängen | på morgonen. |
| Vet du | om | Eva | ofta | brukar | ta på | sig kläderna | i rummet | klockan 7? |
| Vi undrar | vad | Eva | ofta | brukar | sätta (fram) | – | på bordet | till middag. |
| Vet ni | vem | som | inte | har | tvättat (av) | bilen | på gatan | idag? |
| Åke har en bil | som | han | inte | har | tvättat (av) | – | på gatan | idag. |
| Bilen, | som | Åke | inte | har | tvättat (av) | – | på gatan, | är ny. |
| Sängen, | där | Åke | – | läser | (genom) | tidningen | på morgo-<br>nen | är ny. |

# Bildordbok

Ett vardagsrum

Ett sovrum

Ett badrum

En hall

Ett kök

En matvrå

Mat och dryck

Kläder och tillbehör

Verktyg och andra föremål

Adjektiv

En stad

Natur och fritid

Väderstreck

Människokroppen

Släkttavla

Yrken

Nationalitet

# ETT VARDAGSRUM

| | | |
|---|---|---|
| 1 ett askfat - | 10 ett golv - | 19 en skivspelare - |
| 2 ett barskåp - | 11 en golvlamp/a -or | 20 en soff/a -or |
| 3 en bokhyll/a -or | 12 en (grammofon)skiv/a -or | 21 ett soffbord - |
| 4 en blomkruk/a -or | 13 en kassett -er | 22 ett skrivbord - |
| 5 en bordslamp/a -or | 14 en matt/a -or | 23 en stereo(anläggning) -ar |
| 6 en duk -ar | 15 en pall -ar | 24 ett tak - |
| 7 en (färg)TV - | 16 en persienn -er | 25 en taklamp/a -or |
| 8 en fåtölj -er | 17 ett piano -n | 26 en tavl/a -or |
| 9 en gardin -er | 18 en radiator radiatorer | 27 en vas -er |

# ETT SOVRUM

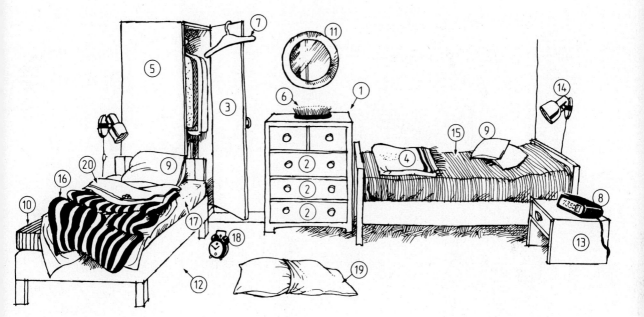

| | | |
|---|---|---|
| 1 en byrå -ar | 8 en klockradio -r | 15 ett sängöverkast - |
| 2 en byrålåd/a -or | 9 en kudd/e -ar | 16 ett täcke -n |
| 3 en dörr -ar | 10 en madrass -er | 17 ett (under)lakan - |
| 4 en filt -ar | 11 en speg/el -lar | 18 en väckarklock/a -or |
| 5 en garderob -er | 12 en säng -ar | 19 ett örngott - |
| 6 en klädborst/e -ar | 13 ett sängbord - | 20 ett (över)lakan - |
| 7 en klädhängare - | 14 en sänglamp/a -or | |

# ETT BADRUM

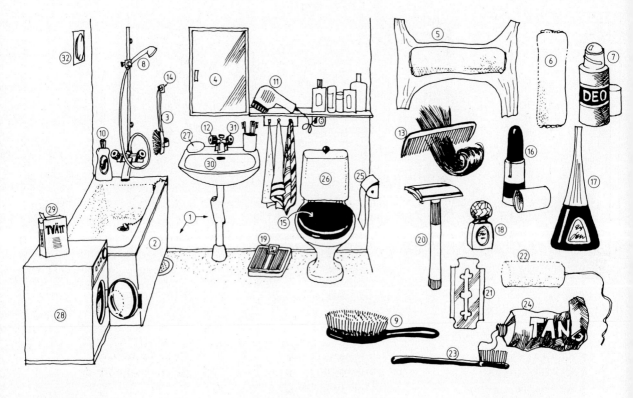

1 ett avlopp -
2 ett badkar -
3 en badborst/e -ar
4 ett badrumsskåp -
5 en blöj/a -or
6 en dambind/a -or
7 en deodorant -er
8 en (hand)dusch -ar
9 en hårborst/e -ar
10 ett (hår)schampo -n
11 en hårtork -ar

12 en (varmvattens)kran -ar
13 en kam -mar
14 en krok -ar
15 ett lock -
16 ett läppstift -
17 ett nagellack -
18 en parfym -er
19 en (person)våg -ar
20 en rakhyv/el -lar
21 ett rakblad -
22 en tampong -er

23 en tandborst/e -ar
24 en tandkräm -er
25 ett toalettpapper -
26 en toalettstol -ar
27 en tvål -ar
28 en tvättmaskin -er
29 ett tvättmedel -
30 ett tvättställ -
31 en (kallvattens)kran -ar
32 en ventil -er

# EN HALL

| 1 en brevlåd/a -or | 7 en nyck/el -lar | 13 en telefonkatalog -er |
|---|---|---|
| 2 en dörrmatt/a -or | 8 en papperskorg -ar | 14 en (telefon)lur -ar |
| 3 en garderob -er | 9 ett paraply -er | 15 ett vägguttag - |
| 4 en klädhyll/a -or | 10 en speg/el -lar | 16 en (ytter)dörr -ar |
| 5 en krok -ar | 11 en strömbrytare - | |
| 6 ett lås - | 12 en telefon -er | |

# ETT KÖK

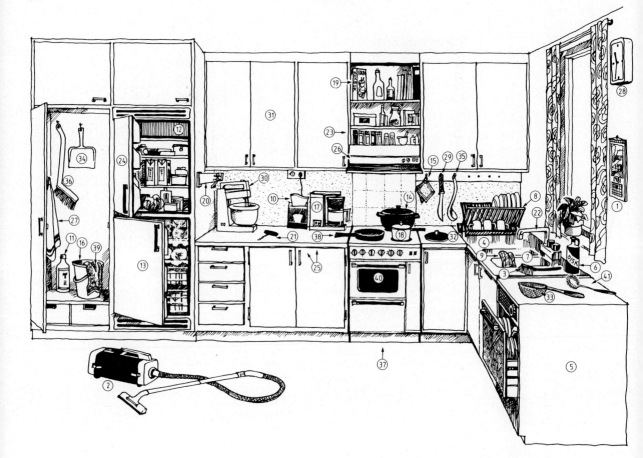

| | | |
|---|---|---|
| 1 en almanack/a -or | 15 en grytlapp -ar | 29 en kökskniv -ar |
| 2 en dammsugare - | 16 en hink -ar | 30 en köksmaskin -er |
| 3 en diskborst/e -ar | 17 en kaffebryggare - | 31 ett (köks)skåp - |
| 4 en diskbänk -ar | 18 en kastrull -er | 32 ett lock - |
| 5 en diskmaskin -er | 19 en kok/bok -böcker | 33 en sil -ar |
| 6 ett diskmedel - | 20 en konservöppnare - | 34 en skyff/el -lar |
| 7 en diskho -ar | 21 en korkskruv -ar | 35 en slev -ar |
| 8 ett diskställ - | 22 en kran -ar | 36 en sopborst/e -ar |
| 9 en disktras/a -or | 23 en krydd/a -or | 37 en spis -ar |
| 10 en filterpås/e -ar | 24 ett kylskåp - | 38 en stekpann/a -or |
| 11 en flask/a -or | 25 en köksbänk -ar | 39 en tras/a -or |
| 12 ett frysfack - | 26 en spisfläkt -ar | 40 ugn -ar |
| 13 ett frysskåp - | 27 en kökshandduk -ar | 41 en visp -ar |
| 14 en gryt/a -or | 28 en köksklock/a -or | |

# EN MATVRÅ

| | | |
|---|---|---|
| 1 en brick/a -or | 9 en kniv -ar | 17 ett tefat - |
| 2 en brödrost -ar | 10 ett köksbord - | 18 en tekann/a -or |
| 3 en duk -ar | 11 en saltströare - | 19 en tekopp -ar |
| 4 ett fat - | 12 en servett -er | 20 en tesked -ar |
| 5 en gaff/el -lar | 13 en sked -ar | 21 en tillbringare - |
| 6 ett glas - | 14 en sockerskål -ar | 22 ett underlägg - |
| 7 en kaffekann/a -or | 15 ett skärbräde -n | |
| 8 en kaffekopp -ar | 16 en tallrik -ar | |

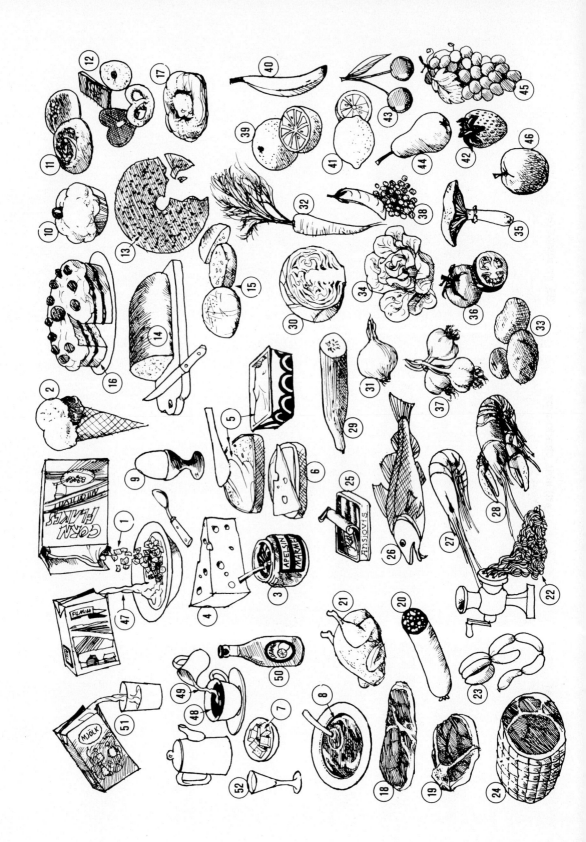

MAT OCH DRYCK

**(en) mat**

1 flingor
2 (en) glass (-ar)
3 (en) marmelad (-er)
4 en ost -ar
5 (ett) smör
6 en smörgås -ar
7 (ett) socker
7 en sockerbit -ar
8 en sopp/a -or
9 ett ägg -

**(ett) bröd**

10 en bakelse -r
11 en bull/e -ar
12 en kak/a -or
13 (ett) hårt bröd
   (ett) knäckebröd
14 en limp/a -or
   (ett) mjukt bröd
15 ett småfransk/a -or
16 en tårt/a -or
17 ett wienerbröd -

**(ett) kött, charkvaror**

18 en biff -ar
19 en fläskkotlett -er
20 en korv -ar
21 en kyckling -ar
22 (en) köttfärs
23 en prinskorv -ar
24 (en) skinka (skinkor)

**(en) fisk (-ar), (ett) skaldjur -**

25 (en burk) ansjovis (-ar)
26 en torsk -ar
27 en räk/a -or
28 en kräft/a -or

**grönsaker**

29 en gurk/a -or
30 (en) kål
31 en lök -ar
32 en morot morötter
33 (en) potatis (-ar)
34 ett salladshuvud -en
   en sallad
35 en svamp -ar

**36 en tomat -er**
37 en vitlök -ar
38 ärtor, ärter

**(en) frukt (er)**

39 en apelsin -er
40 en banan -er
41 en citron -er
42 en jordgubb/e -ar
43 ett körsbär -
44 ett päron -
45 vindruvor
46 ett äpple -n

**(en) dryck (-er)**

47 (en) fil(mjölk)
48 ett kaffe
49 (en) kaffegrädde
50 en läsk -, en läskedryck -er
51 (en) mjölk
52 en snaps -ar
   (ett) brännvin

# KLÄDER OCH TILLBEHÖR

**herrkläder**

1 en regnrock -ar
2 en rock -ar
3 en kostym -er
4 en kavaj -er
5 en skjort/a -or
6 en pullov/er -rar
7 en pyjamas -er
8 en undertröj/a -or
9 en slips -ar
10 badbyxor
11 kalsonger
12 en flug/a -or
13 en (liv)rem -mar

**damkläder**

14 en kapp/a -or
15 en dräkt -er
16 ett nattlinne -n
17 en klänning -ar
18 en blus -ar
19 en kjol -ar
20 en jump/er -rar
21 en tros/a -or
22 en behå -
23 strumpbyxor
24 ett skärp -

**kläder**

25 ett förkläde -n
26 en morgonrock -ar
27 en tröj/a -or
28 en jack/a -or
29 (ett par) jeans
30 en möss/a -or
31 en koft/a -or
32 en hatt -ar
33 en halsduk -ar
34 en strump/a -or
35 en sko -r
36 en träsko -r
37 en toff/el -lor
38 en stöv/el -lar
39 en käng/a -or
40 en handsk/e -ar
41 en vant/e -ar

**tillbehör**

42 ett paraply -er
43 en handväsk/a -or
44 en (armbands)klock/a -or
45 en portfölj -er
46 en börs -ar
47 en plån/bok -böcker
48 ett blixtlås -
49 ett armband -
50 en ring -ar
51 en ärm -ar
52 en fick/a -or
53 en krag/e -ar
54 en knapp -ar
55 ett knapphål -
56 ett halsband -
57 (ett par) glasögon
58 (ett par) solglasögon
59 en näsduk -ar
60 ett örhänge -n

# VERKTYG OCH ANDRA FÖREMÅL

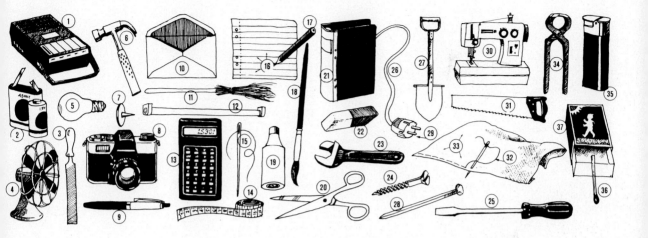

| | | |
|---|---|---|
| 1 en bandspelare - | 14 ett måttband - | 26 en sladd -ar |
| 2 ett batteri -er | 15 en nål -ar | 27 en spad/e -ar |
| 3 en fil -ar | 16 ett papper - | 28 en spik -ar |
| 4 en fläkt -ar | 17 en penn/a -or | 29 en stickpropp -ar |
| 5 en glödlamp/a -or | 18 en pens/el -lar | 30 en symaskin -er |
| 6 en hammare - | 19 en propp -ar | 31 en såg -ar |
| 7 ett häftstift - | en säkring -ar | 32 en tråd -ar |
| 8 en kamer/a -or | 20 en sax -ar | 33 ett tyg -er |
| 9 en kulspetspenn/a -or | 21 en pärm -ar | 34 en tång tänger |
| 10 ett kuvert - | 22 ett radergummi -n | 35 en tändare - |
| 11 en kvast -ar | 23 en skiftnyck/el -lar | 36 en tändstick/a -or |
| 12 ett lysrör - | 24 en skruv -ar | 37 en tändsticksask -ar |
| 13 en miniräknare - | 25 en skruvmejs/el -lar | |

# ADJEKTIV

STOR ↔ liten    LÅNG ↔ KORT    HÖG ↔ Låg    BRED ↔ SMAL    TJOCK ↔ SMAL

BRA ↔ DÅLIG    RAK ↔ KROKIG    RAK ↔ SNED    Vacker ↔ FUL    GLAD ↔ LEDSEN

MÄTT ↔ HUNGRIG    LJUS ↔ MÖRK    BLOND ↔ MÖRK    LUGN ↔ OROLIG    ROLIG ↔ TRÅKIG

PIGG ↔ TRÖTT    FRISK ↔ SJUK    STARK ↔ Svag    UNG ↔ GAMMAL    NY ↔ GAMMAL

TORR ↔ VÅT    SLÄT ↔ SKRYNKLIG    HEL ↔ TRASIG    FULL ↔ TOM    MJUK ↔ HÅRD

REN ↔ SMUTSIG    LEDIG ↔ UPPTAGEN    SNABB ↔ LÅNGSAM    LÄTT ↔ TUNG    LÄTT ↔ SVÅR

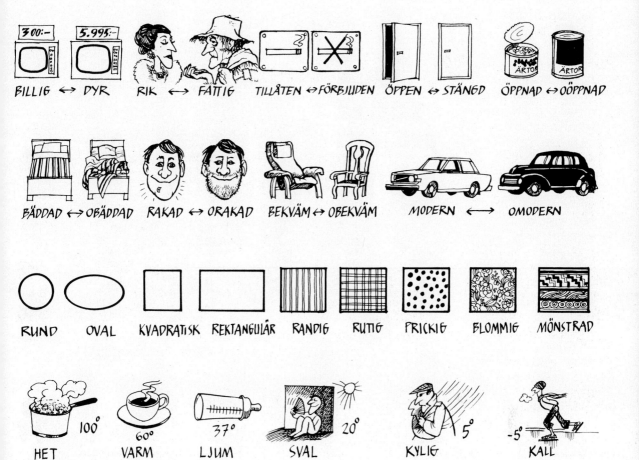

BILLIG ↔ DYR  RIK ↔ FATTIG  TILLÅTEN ↔ FÖRBJUDEN  ÖPPEN ↔ STÄNGD  ÖPPNAD ↔ OÖPPNAD

BÄDDAD ↔ OBÄDDAD  RAKAD ↔ ORAKAD  BEKVÄM ↔ OBEKVÄM  MODERN ↔ OMODERN

RUND  OVAL  KVADRATISK  REKTANGULÄR  RANDIG  RUTIG  PRICKIG  BLOMMIG  MÖNSTRAD

HET  VARM  LJUM  SVAL  KYLIG  KALL

# EN STAD

1  en affär -er
2  en ambulans -er
3  ett apotek -
4  en barnvagn -ar
5  en bensinstation -er
6  en bilverk/stad -städer
7  en bio(graf) biografer
8  en bokhand/el -lar
9  en blomsteraffär -er
10  en brevlåd/a -or
11  en buss -ar
12  en bänk -ar
13  en damm -ar
14  en cyk/el -lar
15  en fabrik -er
16  en fil -er
17  en färj/a -or
18  en gat/a -or
19  en gatukorsning -ar
20  ett gatukök -
21  en hamn -ar
22  ett hotell -
23  en järnvägsstation -er
24  en kafeteri/a -or
25  en kiosk -er
26  en kyrk/a -or
27  ett kvarter -
28  en lastbil -ar
29  en lekplats -er
30  en livsmedelsaffär -er
31  en moped -er
32  en motorcyk/el -lar
33  en möbelaffär -er
34  en park -er
35  en parkeringsmätare -
36  en parkeringsplats -er
37  en perrong -er
38  en (person)bil -ar
39  ett postkontor -
40  en saluhall -ar
41  ett skyltfönster -
42  en skåpbil -ar

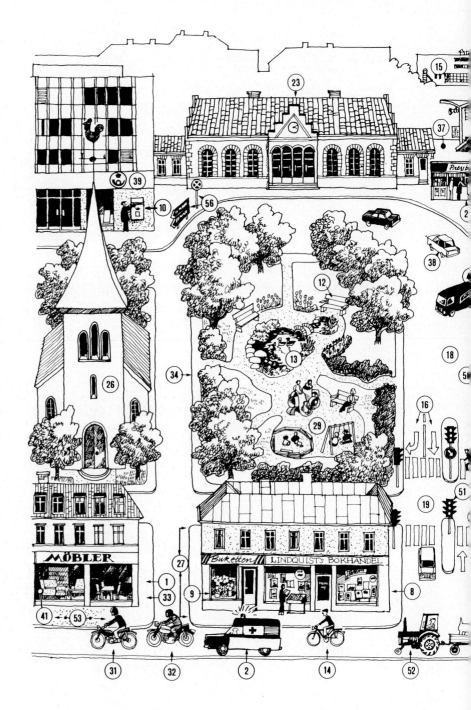

208

43 ett snabbköp -
44 ett spår -
45 en spårvagn -ar
46 ett stånd -
47 en taxi -
48 en telefonhytt -er
49 en tobaksaffär -er
50 ett torg -
51 ett trafikljus -
52 en  traktor traktorer
53 en trottoar -er
54 ett tåg -
55 ett varuhus -
56 ett vägmärke -n
57 ett övergångsställe -n

# NATUR OCH FRITID

1 en back/e -ar
2 en (bad)strand stränder
3 en badplats -er
4 en bastu -r
5 ett berg -
6 en björn -ar
7 ett blad -
8 en blomm/a -or
9 en boll -ar
10 en brygg/a -or
11 en busk/e -ar
12 en bäck -ar
13 en campingplats -er
14 en cirkus -ar
15 en dal -ar
16 (en) dimma
17 ett fjäll -
18 en fotboll -ar
19 en get getter
20 en gran -ar
21 en gren -ar
22 en gris -ar
23 (ett) gräs
24 (en) himmel
25 en husvagn -ar
26 en häst -ar
27 en hön/a -or, höns
28 (en) is
29 en kanin -er
30 en katt -er
31 en kattung/e -ar
32 en klipp/a -or
33 en ko -r
34 en kyckling -ar
35 en kälk/e -ar
36 ett lamm -
37 ett landskap -
38 en maj/stång -stänger
39 ett moln -
40 en mus möss
41 en mygg/a -or, mygg
42 en mån/e -ar
43 en orm -ar
44 (ett) regn
45 en ren -ar

46 en roddbåt -ar
47 en segelbåt -ar
48 (en skida) skidor
49 (en skridsko) skridskor
50 en sol -ar
51 en (sommar)stug/a -or
52 en sjö -ar
53 en skog -ar
54 en skärgård -ar
55 (en) snö
56 en stig -ar
57 en stjärn/a -or
58 ett träd -
59 ett tält -
60 en vik -ar
61 en vind -ar
62 en väg -ar
63 en åk/er -rar
64 en älg -ar
65 en äng -ar
66 en å åar
67 en ö öar

# VÄDERSTRECK

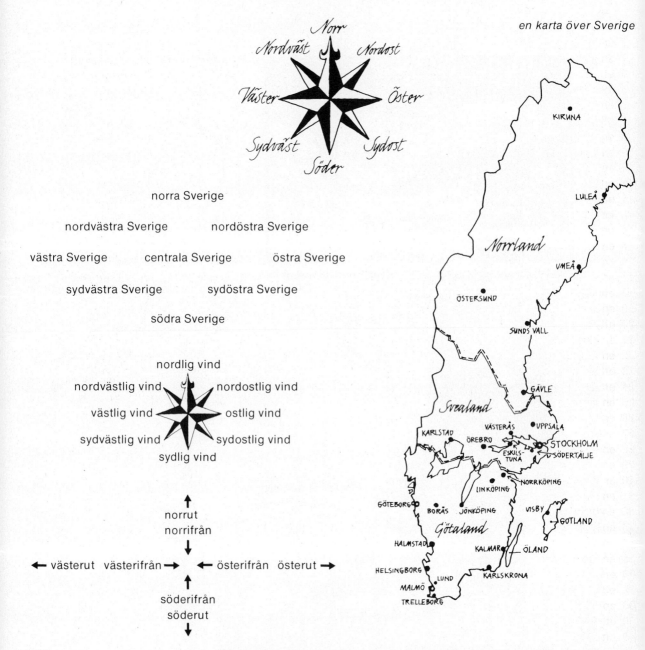

en karta över Sverige

*Norr*
*Nordväst*  *Nordost*
*Väster*  *Öster*
*Sydväst*  *Sydost*
*Söder*

norra Sverige

nordvästra Sverige    nordöstra Sverige

västra Sverige    centrala Sverige    östra Sverige

sydvästra Sverige    sydöstra Sverige

södra Sverige

nordlig vind
nordvästlig vind    nordostlig vind
västlig vind    ostlig vind
sydvästlig vind    sydostlig vind
sydlig vind

↑ norrut
norrifrån ↓

← västerut  västerifrån →    ← österifrån  österut →

↑ söderifrån
söderut ↓

Kiruna ligger **i norr**. Kiruna ligger **i norra** Sverige. Kiruna är en **nordlig** stad.
Italien ligger **i söder**. Italien ligger i **södra** Europa. Italien är ett **sydligt** land.
Sundsvall ligger **norr om** Gävle. Gävle ligger **söder om** Sundsvall.
Tåget går från Malmö till Stockholm. Tåget går **norrut**.
Paolo kommer från Italien. Han kommer **söderifrån**.

# MÄNNISKOKROPPEN

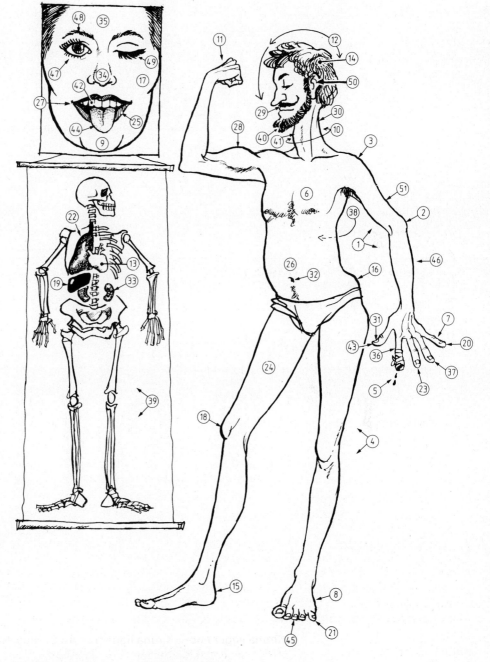

1  en arm -ar
2  en armbåg/e -ar
3  en ax/el -lar
4  ett ben -
5  (ett) blod -
6  ett bröst -
7  ett fing/er -rar
8  en fot fötter
9  en hak/a -or
10 en hals -ar
11 en hand händer
12 ett hår (-)
13 ett hjärta -n
14 ett huvud -
15 en häl -ar
16 en höft -er
17 en kind -er
18 ett knä -n
19 en lev/er -rar
20 ett lillfing/er -rar
21 en lilltå -r
22 en lung/a -or
23 ett långfing/er -rar
24 ett lår -
25 en läpp -ar
26 en mag/e -ar
27 en mun -nar
28 en musk/el -ler
29 en mustasch -er
30 en nack/e -ar
31 en nag/el -lar
32 en nav/el -lar
33 en njur/e -ar
34 en näs/a -or
35 en pann/a -or
36 ett pekfing/er -rar
37 ett ringfing/er -rar
38 en rygg -ar
39 ett skelett -
40 ett skägg -
41 en strup/e -ar
42 en tand tänder
43 en tumm/e -ar
44 en tung/a -or
45 en tå -r

46 en underarm -ar
47 ett öga ögon
48 ett ögonbryn -

49 en ögonfrans -ar
50 ett öra öron
51 en överarm -ar

# EN SLÄKTTAVLA ÖVER EN SLÄKT MED 35 SLÄKTINGAR I FEM GENERATIONER

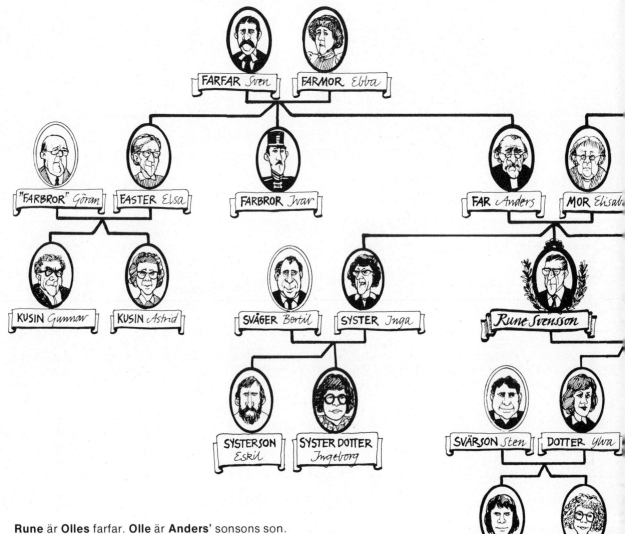

Rune är Olles farfar. Olle är Anders' sonsons son.
Elisabet är Annas farfars mor. Anna är Elisabets sonsons dotter.
Anders och Elisabet har tre barn, sex barnbarn och fem barnbarns barn.
Rune och Kerstin har en svärdotter (sonens maka), Birgitta, och en svärson (dotterns make), Sten.
Rune och Kerstin är Birgittas och Stens svärföräldrar (makens eller makans föräldrar).
Börje är Kerstins svåger (makens bror). Inga är Kerstins svägerska (makens syster). Bertil är Runes svåger (systerns make).
Anita är Runes svägerska (broderns maka). Bertil är Kerstins svåger (makens systers man). Anita är Kerstins svägerska (makens broders fru).

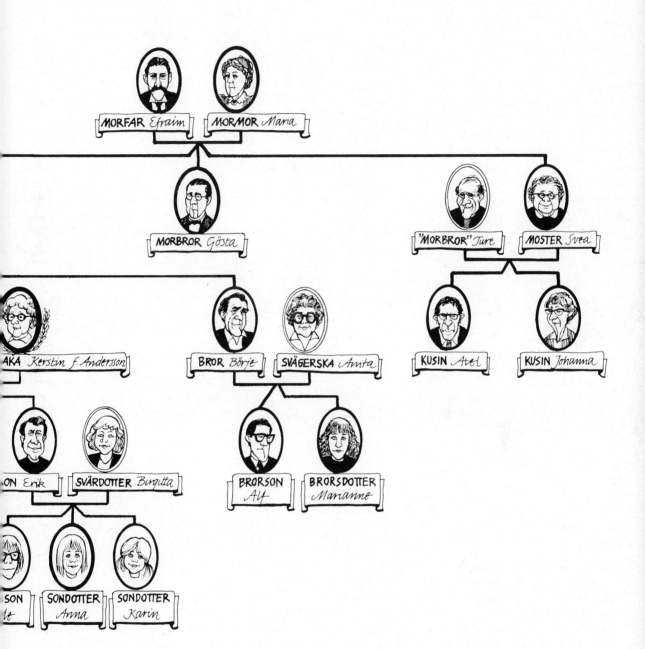

MORFAR *Efraim*  MORMOR *Maria*

MORBROR *Gösta*

"MORBROR" *Ture*  MOSTER *Svea*

...AKA *Kerstin f. Andersson*  BROR *Börje*  SVÄGERSKA *Anita*  KUSIN *Axel*  KUSIN *Johanna*

...ON *Erik*  SVÄRDOTTER *Birgitta*  BRORSON *Alf*  BRORSDOTTER *Marianne*

...SON ...t  SONDOTTER *Anna*  SONDOTTER *Karin*

# SLÄKTORD

## En familj

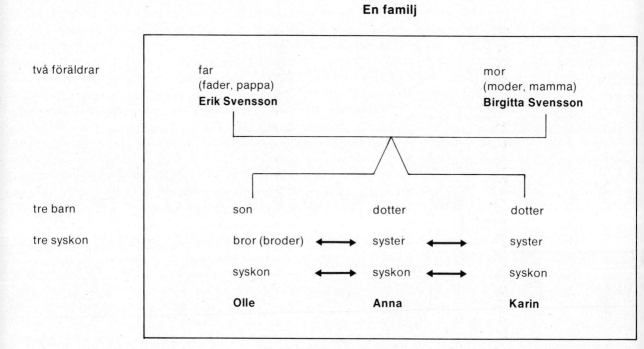

två föräldrar | far (fader, pappa) **Erik Svensson** | mor (moder, mamma) **Birgitta Svensson**

tre barn | son | dotter | dotter

tre syskon | bror (broder) ⟷ syster ⟷ syster | syskon ⟷ syskon ⟷ syskon

**Olle** | **Anna** | **Karin**

**Erik** har en maka (en fru, en hustru): **Birgitta**.
**Birgitta** har en make (en man): **Erik**.
Makarna (paret) **Svensson** har tre barn, en son och två döttrar.
**Olle** har två syskon, två systrar. **Anna** har två syskon, en bror och en syster.

| en släkt | släkten | släkter | släkterna |
|---|---|---|---|
| en släkting | släktingen | släktingar | släktingarna |
| en familj | familjen | familjer | familjerna |
| en förälder | föräldern | föräldrar | föräldrarna |
| en far | fadern | fäder | fäderna |
| en mor | modern | mödrar | mödrarna |
| ett barn | barnet | barn | barnen |
| ett syskon | syskonet | syskon | syskonen |
| en son | sonen | söner | sönerna |
| en dotter | dottern | döttrar | döttrarna |
| en kusin | kusinen | kusiner | kusinerna |
| en farbror | farbrodern | farbröder | farbröderna |
| en faster | fastern | fastrar | fastrarna |
| en moster | mostern | mostrar | mostrarna |

# YRKEN

ALLA SLAGS ÄRENDEN

PASS

| | | | | |
|---|---|---|---|---|
| 1 | en bilmekaniker -<br>en montör -er | 9 | en flygvärdinn/a -or | |
| | | 10 | en kock -ar | 17 en sekreterare -<br>en kontorist -er |
| 2 | en bonde bönder<br>en lantbrukare - | 11 | en metallarbetare -<br>(en svetsare -) | 18 en servitris -er<br>19 en snickare - |
| 3 | en brevbärare - | 12 | en murare - | 20 en sjukskötersk/a -or |
| 4 | en expedit -er | 13 | en musiker -<br>(en gitarrist -er) | 21 en trafikflygare -<br>en pilot -er |
| 5 | en försäljare - | 14 | en polis -er | 22 en tulltjänste/man -män |
| 6 | en kassörsk/a -or | 15 | en postexpeditör -er | 23 en städare - |
| 7 | en läkare -<br>en doktor doktorer | 16 | en präst -er | (en städersk/a -or)<br>en lokalvårdare - |
| 8 | en lärare - | | | |

# NATIONALITET

| land | man el. medborgare | kvinna | språk | adjektiv |
|------|--------------------|--------|-------|----------|
| Sverige | en svensk<br>flera svenskar | en svenska<br>flera svenskor | svenska | svensk |

| land | man el. medborgare | kvinna | språk | adjektiv |
|------|--------------------|--------|-------|----------|
| Albanien | alban -er | albanska | albanska | albansk |
| Argentina | argentinare - | argentinska | (sydamerikansk) spanska | argentinsk |
| Belgien | belgier - | belgiska | franska, flamländska | belgisk |
| Bolivia | bolivian -er | bolivianska | spanska, quechua | boliviansk |
| Brasilien | brasilianare - | brasilianska | portugisiska | brasiliansk |
| Bulgarien | bulgar -er | bulgarisk | bulgariska | bulgarisk |
| Canada | kanadensare - | kanadensiska | engelska, franska | kanadensisk |
| Chile | chilenare - | chilenska | spanska | chilensk |
| Danmark | dansk -ar | danska | danska | dansk |
| Finland | finländare - | finländska | finska, svenska | fin(länd)sk |
| Frankrike | frans/man -män | fransyska | franska | fransk |
| Västtyskland, Förbunds-republiken Tyskland | (väst)tysk -ar | (väst)tyska | tyska | (väst)tysk |
| Förenta Staterna, USA | amerikan -er | amerikanska | (amerikansk) engelska | amerikansk |
| Grekland | grek -er | grekinna, grekiska | grekiska | grekisk |
| Indien | indier - | indiska | hindi, tamil m.fl. | indisk |
| Iran | iranier - | iranska | persiska m. fl. | iransk |
| Island | islänning -ar | isländska | isländska | isländsk |
| Italien | italienare | italienska | italienska | italiensk |
| Japan | japan -er | japanska | japanska | japansk |
| Jugoslavien | jugoslav -er | jugoslaviska | serbokratiska m.fl. | jugoslavisk |
| Kina | kines -er | kinesiska | kinesiska | kinesisk |
| Holland | holländare - | holländska | holländska | holländsk |
| Nederländerna | nederländare - | nederländska | nederländska | nederländsk |
| Norge | norr/man -män | norska | norska | norsk |
| Pakistan | pakistanare - | pakistanska | urdu | pakistansk |
| Polen | polack -er | polska | polska | polsk |
| Portugal | portugis -er | portugisiska | portugisiska | portugisisk |
| Rumänien | rumän -er | rumänska | rumänska | rumänsk |
| Schweiz | schweizare - | schweiziska | tyska, franska m.fl. | schweizisk |

| land | man el. medborgare | kvinna | språk | adjektiv |
|------|-------------------|--------|-------|----------|
| Sovjet | sovjetmedborgare - | | | sovjetisk |
| Sovjetunionen | ryss -ar m.fl. | ryska m.fl. | ryska m.fl. | rysk m.fl. |
| Spanien | spanjor -er | spanjorska | spanska | spansk |
| England, Storbritannien | engels/man -män | engelska | engelska | engelsk |
| Thailand | thailändare - | thailändska | thai | thailändsk |
| Tjeckoslovakien | tjeckoslovak -er | tjeckoslovakiska | tjeckiska, slovakiska | tjeckoslovakisk |
| Turkiet | turk -ar | turkinna, turkiska | turkiska | turkisk |
| Östtyskland, Tyska Demokratiska Republiken | (öst)tysk -a | (öst)tyska | tyska | (öst)tysk |
| Ungern | ungrare - | ungerska | ungerska | ungersk |
| Uruguay | uruguayare - | uruguayska | spanska | uruguaysk |
| Vietnam | vietnames -er | vietnamesiska | vietnamesiska | vietnamesisk |
| Österrike | österrikare - | österrikiska | tyska | österrikisk |
| *Världsdelar* | | | | |
| Afrika | afrikan | afrikanska | | afrikansk |
| Asien | asiat -er | | | asiatisk |
| Australien | australier - | australiska | engelska | australisk |
| Europa | europé -er | europeiska | | europeisk |
| (Nord)Amerika | (nord)amerikan -er | (nord)amerikanska | | (nord)amerikan |
| Sydamerika | sydamerikan -er | sydamerikanska | | sydamerikansk |

# SÅ SÄGER MAN

**för att:**

**hälsa** Hej! Hej på dig! Hallå! Goddag! God morgon! God kväll! Hur är det? Hur står det till? Hur är det med . . .?

**tilltala någon** Du! Du Åke! Ingenjören! Ingenjör Svensson! Herr/Fru/Fröken Svensson!

**säga adjö** Hej! Hej då! Adjö! Adjö då! God natt! God jul! God fortsättning! Trevlig midsommar! Trevlig helg! Lycka till (med . . .)! Ha det så bra! Trevlig resa! Hälsa till . . .! Vi ses (i morgon)!

**inleda ett samtal** Jag kommer/ringer på grund av/med anledning av . . . Det är så att . . . Det gäller . . .

**presentera sig** Jag heter . . . Mitt namn är . . . Jag kommer från . . . Det här är . . .

**begära presentation** Vad heter du? Hur var namnet? Vem är det (jag talar med)? Finns det legitimation? Vem får jag hälsa från?

**presentera någon** Det här är . . . Får jag presentera . . .

**tala om att man förstår** Ja. Jo. Jaså. Jaha. Javisst. Jadå. Jodå. Nej. Nejdå. Säger du det! Oj då! Just det! Inte alls! Jag förstår.

| | |
|---|---|
| **tala om att man inte förstår** | Förlåt! Ursäkta? Hur sa? Vad sa du? |
| **kontrollera att någon förstår** | Eller hur? Inte sant? |
| **begära förtydligande** | Vilken/vem/hur/när/var då? Vad/hur menar du? |
| **uttrycka samma åsikt** | Ja. Ja, just det. Javisst. Ja, absolut. Just precis. Ja. det tycker/tror jag också. Ja, så är det. |
| **uttrycka annan åsikt** | Nej. Nejdå! Inte alls! Absolut inte! Visst inte! Nej, det tycker/tror jag inte. Nej, säg inte det! |
| **be om något** | Kan jag få . . .? Får jag . . .? Skulle jag kunna få . . .? Jag skulle vilja ha . . .! Vill du vara (så) snäll och . . . Skulle du vilja . . . |
| **be om upplysning** | Förlåt, kan ni säga mig . . . Skulle du kunna säga . . . Skulle du vilja visa mig . . . |
| **tillåta** | Du får gärna . . . Det är bra. Det går bra att . . . |
| **förbjuda** | Du får inte . . . Du ska inte . . . Var snäll och . . . inte! |
| **föreslå något** | Jag föreslår att vi . . . Jag tycker du/vi ska . . . Kan vi inte . . . Låt mig/oss . . . Vad säger du/ni om att . . . Det är bäst att . . . |
| **uttrycka förvåning** | Va! Verkligen? Tänka sig! Är det möjligt? Det menar du inte! |
| **uttrycka ointresse** | Det spelar ingen roll! Det gör detsamma! Än sen då! |
| **få någon att vänta** | (Vill du/ni) vänta lite! Ett ögonblick! Tyst! |
| **tillägga något** | (Jo) förresten . . . På tal om . . . |
| **(in)bjuda eller erbjuda** | Varsågod (och . . .)! Välkommen! Skål! Får jag bjuda på . . . |
| **tacka för något** | Tack (så mycket)! Ja (tack). Tack ska du ha! (Hjärtligt) tack för . . . Tack det samma! Tack för senast! Tack för maten! |
| **tacka nej till** | Nej tack! (Nej) tack men . . . Tyvärr (inte men . . .) Nej . . . |
| **svara någon som tackar** | Varsågod! För all del! Ingen orsak! |
| **be om ursäkt** | Förlåt (mig)! Ursäkta (mig?) Jag är ledsen att/men . . . Jag ber så mycket om ursäkt för att jag . . . |
| **svara någon som ber om ursäkt** | För all del! Ingen orsak! Det gör ingenting! |
| **varna någon** | Akta dig (för/för att) . . . Glöm inte att . . .! Se upp! Ta det lugnt! |
| **gratulera** | (Jag) gratulerar till/på . . . Grattis (till/på) . . . Det var roligt att höra! |
| **beklaga** | Det var synd att . . . Så . . .! Det var tråkigt att höra! |

# Alfabetisk ordlista

Siffra anger avsnitt, I introduktionen, G grammatikdelen, B bildordboken och Ö övningsboken.

225

228

229